Eine romantische Reise
durch Deutschland

A Romantic Journey
through Germany

Un voyage romantique
à travers l'Allemagne

Hermann Gutmann

Eine romantische Reise durch Deutschland

A Romantic Journey through Germany

Un voyage romantique à travers l'Allemagne

MIRA

◁◁ **Burg Hohenzollern**

Majestätisch ruht sie auf einem hohen Bergkegel, abgehoben von den Niederungen der Alltagsgeschäfte. Steingewordener romantischer Traum auf den Grundmauern des mittelalterlichen Gebäudes. Letzte Ruhestätte für Friedrich den Großen und Friedrich Wilhelm I.

◁◁ **Hohenzollern Castle**

It rests majestically on a high conical hill, elevated above the lowlands of everyday life. A romantic dream in masonry grafted onto the foundations of a medieval building. The final resting place of Frederick the Great and Frederick William I.

◁◁ **Château de Hohenzollern**

Il trône majestueusement sur le cône d'une montagne, à l'écart des contingences de la vie quotidienne. Un rêve romantique incarné dans la pierre sur les fondations d'un édifice médiéval. La dernière demeure de Frédéric le Grand et de Frédéric-Guillaume Ier.

© MIRA Verlag, D-7118 Künzelsau, Maybachstraße 6
Alle Rechte, auch die der photomechanischen Wiedergabe und der Übersetzung, vorbehalten.

Projektleitung: Rudolf Werk
Text: Hermann Gutmann
Bildlegenden: Jürgen Freudl
Übersetzung ins Englische:
Desmond Clayton
Übersetzung ins Französische:
Marlène Kehayoff-Michel
Einbandgestaltung: Peter E. Mück
Druck: J. Fink, D-7302 Ostfildern
Einbandarbeiten: Großbuchbinderei Gebhardt, Ansbach
Printed in West-Germany

Der Schwarzwald

Machen wir's doch dem Frühling nach und beginnen mit ihm unsere romantische Reise durch Deutschland. Denn der Lenz betritt unser Land alljährlich, von Süden kommend, durch die Burgundische Pforte.
Er wandert, rheinabwärts, durchs Markgräfler Land, wo herrliche Weine wachsen. Und wo immer er vorübergeht, fangen die Kirschen an zu blühen. Das ganze Land verwandelt sich in ein weißes Blütenmeer, während die Berge des Schwarzwalds noch weiße Schneekappen tragen.
Nun ist es gefallen, das Stichwort: Schwarzwald. Wo immer in der Welt von deutschen Landschaften gesprochen wird – da wird auch vom Schwarzwald die Rede sein, von den tannendunklen Bergen, von den wildromantischen Schluchten, von den Wassermühlen, die auch heute noch an rauschenden Bächen klappern, von lieblichen Tälern, in denen gastfreundliche Menschen wohnen. Und vielleicht, wenn wir Glück haben, treffen wir ein junges Mädchen, das am Spinnrad sitzt, wie einst die Urgroßmutter. Und auf der Ofenbank hockt ein alter Herr, der wunderbar Geschichten erzählen kann. Geschichten aus vergangenen Zeiten.
Wie die Schwarzwälder lebten und

The Black Forest

Let us start our romantic journey through Germany in a truly romantic way: by tracing the path followed by spring every year when it enters our country from the south through the Belfort Gap.
From there, it makes its way down the Rhine through the Markgräfler Land, the ancestral lands of the Margraves of Baden, which produce splendid wines. And, wherever it passes by, the cherry trees begin to bloom, transforming the countryside into a sea of white blossom, while the Black Forest peaks are still capped with snow.
Ah, that is our cue – the Black Forest: a region famous for the dark pine trees that give it its name, for its wildly romantic gorges and idyllic valleys, its rattling watermills – often still functioning even today – and the hospitality of its people. If we are lucky, we might even come across a girl working at her spinning wheel just as her great-grandmother used to, or an old gentleman resting by the stove, with a fund of fascinating stories. Stories of times gone by. To find out how the Black Forest people lived in times gone by, and still live today, however, we only have to visit the Vogtsbauernhof Black Forest Open Air Museum in Gutach, where traditional forms of living are cultivated and preserved.

La Forêt-Noire

Imitons donc le printemps et suivons son itinéraire dans notre voyage romantique à travers l'Allemagne où, venant du Sud, il entre chaque année par la trouée de Belfort.
Il traverse alors, en descendant le Rhin, le Markgräfler Land, l'ancien pays des margraves de Bade, qui produit de merveilleux vins. Et sur son passage, les cerisiers se mettent à fleurir. Tout le pays se transforme en une mer de fleurs blanches pendant que les montagnes de la Forêt-Noire arborent encore des calottes blanches.
Et voilà le mot-clé jeté: la Forêt-Noire, avec ses montagnes couvertes de sombres sapins, ses gorges au charme sauvage et romantique, ses moulins à eau qui, aujourd'hui encore, mêlent leur tic-tac au murmure des ruisseaux, ses charmantes vallées et ses habitants hospitaliers. Et peut-être, avec un peu de chance, rencontrerons-nous une jeune fille assise à son rouet filant la laine comme autrefois son arrière-grand-mère. Et, installé sur la banquette du poêle, un vieux monsieur qui sait raconter de merveilleuses histoires. Des histoires du temps passé. Comment vivaient autrefois et vivent de nos jours les habitants de la Forêt-Noire, c'est ce que nous pouvons voir dans le musée en plein

▷▷ **Kirschblüte im Eggenertal**
„Frühling läßt sein blaues Band wieder flattern durch die Lüfte" – wer ließe sich da nicht wie der Dichter Mörike anstecken von der Begeisterung über die zu neuem Leben erwachte Natur, über die Blütenpracht zahlloser Obstbäume? Beneidenswert alle, die im sonnenverwöhnten Südwesten wohnen und das Frühjahr als erste begrüßen dürfen.

▷▷ **Cherry blossom in the Eggen Valley**
"Spring sends its blue ribbons dancing through the air" – Mörike expressed the feelings we all experience as Nature comes to life again and the fruit trees burst into flower. Lucky are those who live in the sunny south-west, and are privileged to be the first to welcome spring every year.

▷▷ **Cerisiers en fleurs dans la vallée de l'Eggen**
«A nouveau le printemps fait flotter son ruban bleu dans l'air» – à l'instar du poète allemand Edouard Mörike, personne ne peut échapper à l'enchantement du réveil de la nature, de la magnificence d'innombrables arbres fruitiers en fleurs.

auch heute noch leben, das wird im Schwarzwälder Freilichtmuseum Vogtsbauernhof in Gutach gezeigt, wo die Wohnkultur des Landes gepflegt und bewahrt wird.

Im Gutachtal ist auch das Schwarzwaldmädel mit dem markanten Bollenhut zu Hause. Nur dort. Aber der Bollenhut, der von unverheirateten Mädchen rot, von verheirateten Frauen schwarz getragen wird, wurde vor hundert Jahren durch den Maler Wilhelm Hasemann und später in der Operette „Schwarzwaldmädel" von Léon Jessel zum Symbol für den Schwarzwald in der ganzen Welt. Die Hüte, aus Stroh geflochten und mit Wollbällchen verziert, wurden vor über 200 Jahren aus einer modischen Laune heraus geschaffen.

Nicht weit von Gutach, in Triberg, ist ein anderes Wahrzeichen des silva nigra, des schwarzen Waldes, entwickelt worden, das mittlerweile weltweit bekannt und beliebt ist: die Schwarzwälder Kuckucksuhr. Sie wurde um 1730 von Franz Anton Ketterer zum erstenmal gebastelt. Die Uhrenträger zogen damals mit ihrer tickenden Last auf dem Rücken durch ganz Europa. Inzwischen ist der Schwarzwälder Kuckuck auch vielen Amerikanern und Asiaten zum vertrauten Wohngenossen geworden.

The Gutach Valley is also the home of the original Black Forest girl with the striking pompom hat. Worn in red by unmarried girls, and black by married women, it has become a universally-known symbol for the Black Forest. Its fame was founded a hundred years ago by the painter Wilhelm Hasemann, who painted many scenes with girls wearing such hats, and was later further enhanced by Léon Jessel's operetta "The Black Forest Girl." The hats, of woven straw, decorated with woollen pompoms, were created over 200 years ago as a fashionable whim.

Not far from Gutach, in Triberg, another symbol of the silva nigra – the black forest – evolved: the Black Forest cuckoo clock. The first one was put together in about 1730 by Franz Anton Ketterer. Soon afterwards, clocksellers travelled all over Europe, carrying their wares on their backs. Now Black Forest cuckoo clocks are popular throughout the world, and their cuckoos mark the hours in many an American and Asian home.

A little above the town are the Triberg Waterfalls, down which the Gutach tumbles, in a number of stages, for over 500 feet. Legend has it that the beautiful but cold-hearted Forest Queen Guta once lived there. She was the death of

air aménagé dans une ferme à Gutach où l'on entretient les traditions de l'habitat régional.

La vallée de la Gutach est également la région où l'on rencontre des jeunes filles coiffées d'un chapeau original, le «Bollenhut». Rouge pour les jeunes filles, noir pour les femmes mariées, ce chapeau a été immortalisé il y a cent ans, par le peintre Wilhelm Hasemann et est devenu par la suite, grâce à l'opérette de Léon Jessel «Schwarzwaldmädel», un symbole de la Forêt-Noire dans le monde entier. Ces chapeaux en paille tressée et garnis de pompons sont nés voici 200 ans d'un caprice de la mode.

Non loin de Gutach, à Triberg, s'est développé un autre symbole de la silva nigra, de la Forêt-Noire. Un symbole qui a acquis entre-temps une célébrité mondiale: le coucou de la Forêt-Noire. Il a été confectionné pour la première fois vers 1730 par Franz Anton Ketterer. A l'époque, les porteurs d'horloge parcouraient toute l'Europe avec leur fardeau tictaquant sur le dos. Aujourd'hui, les coucous de la Forêt-Noire agrémentent également les maisons de nombreux Américains et Asiatiques. Un peu au-dessus de la ville se trouve la cascade de Triberg qui précipite d'une hauteur de 160 mètres environ les eaux

8

▷ **Altensteig**

Der Frühling hat nun den Nordschwarzwald erreicht. An einem strahlenden Sonnentag präsentiert sich das wegen seines makellosen mittelalterlichen Stadtbildes vielgerühmte Altensteig von seiner schönsten Seite. Über die malerisch an den Hang geschmiegten Bürgerhäuser wachen seit Jahrhunderten Burg und Stadtkirche.

▷ **Altensteig**

Spring has now advanced as far as the northern Black Forest. Altensteig, renowned for its unblemished medieval townscape, looks its very best in the bright sunlight. For centuries now, the castle and town church have held watch over the burghers' houses clinging to the slope.

▷ **Altensteig**

Le printemps a maintenant atteint le nord de la Forêt-Noire. Altensteig, célèbre par son aspect médiéval intact, se présente sous son plus beau jour sur un fond de ciel serein. Le château et l'église veillent depuis des siècles sur les pittoresques maisons bourgeoises blotties à flanc de coteau.

Etwas oberhalb der Stadt befindet sich der Triberger Wasserfall, der die Gutach in sieben Hauptfällen etwa 160 Meter in die Tiefe stürzen läßt. Die Sage erzählt, dort habe einst die Waldkönigin Guta gelebt, eine wunderschöne, doch kaltherzige Frau, derentwegen schon mancher ritterliche Freier sein Leben gewagt und verloren hatte. Einmal wurde sie von einem Jüngling aus großer Gefahr gerettet. Dieser verliebte sich in sie und bat um ihre Hand. Die böse Frau aber stellte ihm eine Aufgabe, die er nicht erfüllen konnte. Er stürzte sich zu Tode. Die Mutter des jungen Mannes aber verfluchte die Waldkönigin Guta und rief: „Zum Steine sollst du werden und ewig weinen über deine Freveltaten." Und so ist es offenbar geschehen.

Triberg ist Station an der Schwarzwaldbahn, die Offenburg mit Konstanz am Bodensee verbindet. Es ist die wohl romantischste Eisenbahnstrecke in Deutschland. Der Zug hält auch in Donaueschingen, wo – im Hofe des Schlosses – die Donau entspringt. Die Quelle wurde im vorigen Jahrhundert eingefaßt. Wer aber mit dem Auto im Schwarzwald unterwegs ist, der sollte nicht versäumen, auf der Schwarzwaldhochstraße zu reisen, einer Ferienstraße von ungewöhnlicher Schönheit.

many a knightly suitor. Once she was saved from great danger by a young man who fell in love with her, and asked for her hand. But she set him an impossible task, and he fell to his death. Then the young man's mother cursed the Forest Queen, crying out: "May you be turned to stone and for ever weep over your own misdeeds!". And that, apparently, is how the Triberg Falls came into being.

Triberg is a station on the Black Forest railway line connecting Offenburg with Constance on Lake Constance. It is surely the most romantic stretch of railway in Germany. The train also stops in Donaueschingen, where the source of the Danube is to be found – in the palace courtyard. The source was enclosed in an ornamental basin during the last century.

For anyone travelling by car, however, the Black Forest Crest Route is a must. It provides a scenic drive of unparalleled beauty.

The route begins in Baden-Baden, the internationally famous German spa. Baden-Baden is not just a resort for the sick, however; it is also a meeting place for high society attending the annual horse races at Iffezheim.

The Crest Route takes you on to Freudenstadt, past Unterstmatt, the

de la Gutach dans une gorge par une série de sept chutes. La légende veut que Guta, la reine de la forêt, y ait autrefois vécu. Guta était d'une grande beauté mais elle avait le cœur dur. Et plus d'un chevalier avait risqué sa vie et avait péri en voulant gagner ses faveurs. Un jour, elle fut sauvée d'un grand danger par un adolescent. Celui-ci tomba amoureux d'elle et demanda sa main. Mais la méchante femme lui imposa un gage qu'il ne put accomplir. Il fit une chute mortelle. La mère du jeune homme maudit alors Guta, la reine de la forêt, en s'écriant: «Pierre tu dois devenir et pleurer éternellement sur tes crimes.» Et ainsi en a-t-il apparemment été.

Triberg est une station de la ligne de chemin de fer de la Forêt-Noire, la «Schwarzwaldbahn» qui relie Offenbourg à Constance sur le lac de Constance et qui est certainement la plus romantique d'Allemagne. Le train s'arrête également à Donaueschingen où jaillit la source du Danube – dans la cour du château. C'est au siècle dernier que la source a été entourée d'une margelle. Mais celui qui traverse la Forêt-Noire en voiture ne doit pas manquer d'emprunter la route des crêtes de la Forêt-Noire, un parcours d'une extraordinaire beauté.

▷ **Schönau mit Belchen**

Der volkstümliche alemannische Schriftsteller Johann Peter Hebel liebte seinen Schwarzwald über alles, besonders die Landschaft um seinen Hausberg, den Belchen. Einmal bekannte er: „Es ist wahr, daß die erste Station von der Erde zum Himmel der Belchen ist …" Das glauben ihm gewiß die vielen Wanderer, die an sonnigen Spätsommertagen gerne eine Rast auf diesem Berg einlegen, um die schönste Aussicht des Südschwarzwalds zu genießen.

▷ **Schönau with Mt. Belchen**

The popular Alamannic writer, Johann Peter Hebel, loved the Black Forest above everything, especially the countryside round Mt. Belchen, near where he lived. Once he wrote: "It is true that the first station on the way to Heaven is Mt. Belchen …"

▷ **Schönau avec le Belchen**

L'écrivain populaire alémanique, Johann Peter Hebel, aimait la Forêt-Noire par-dessus tout et en particulier la région du Belchen. «C'est vrai» devait-il dire un jour «que le Belchen est la première station de la terre au ciel …»

Die Straße beginnt in Baden-Baden, dem weltbekannten deutschen Kur- und Badeort. Hier suchen nicht nur Kranke Genesung, hier trifft sich auch alljährlich die elegante, mondäne Welt zum Pferderennen in Iffezheim.

Die Schwarzwaldhochstraße führt weiter nach Freudenstadt, vorüber an Unterstmatt, an der 1164 Meter hohen Hornisgrinde, am Mummel- und am Wildsee, am Schliffkopf und am Kniebis.

Aber vergessen wir Freiburg nicht, die heimliche Hauptstadt des Schwarzwaldes, die im Jahre 1120 gegründet wurde. Herz der Stadt ist das 800jährige Münster „Unserer Lieben Frau" mit dem „schönsten Turm der Christenheit", wie der Schweizer Kulturhistoriker Jacob Burckhardt einmal gesagt hat.

Das mächtige Gotteshaus ist Mittelpunkt eines bunten Lebens. Da bieten Händler auf dem Markt vor dem Münster ihre Waren feil, Studenten sitzen in der Sonne, Touristen fotografieren das rot leuchtende Kaufhaus von 1532 und bummeln zum nahen Rathausplatz mit der alten Gerichtslaube von 1280.

Beliebtes Ausflugsziel der Freiburger ist der 1284 Meter hohe Schauinsland, zu dem eine 3,6 Kilometer lange Seilbahn hinaufführt, aber auch eine kurvenreiche Straße.

3,820 ft Hornisgrinde, lakes Mummel and Wild, and the Schliffkopf, and Kniebis summits.

But we must not forget Freiburg, the secret capital of the Black Forest, founded in 1120. The heart of the town is the area round the 800-year-old Minster, with "the finest spire in Christendom", as it was once called by the Swiss historian Jacob Burckhardt. The mighty church is the focal point of Freiburg's life. Tradesmen offer their wares on stalls in front of the Minster, students sun themselves, tourists take snapshots of the bright red Kaufhaus, built in 1532, or stroll to the nearby Rathausplatz, with its ancient law court, the Gerichtslaube, of 1280.

A popular excursion from Freiburg is to Schauinsland, 4,200 ft, which can be reached by a 2.25-mile cable railway or by a very winding road. But the best-known, and highest, mountain in the Black Forest is Feldberg, 4,900 ft, which provides good skiing in the winter.

The Black Forest is full of romantic spots – in the narrow Münster Valley, for example, or in the wine-producing village of Durbach in the Ortenau; in Sasbachwalden, with its magnificent houses, or in cosy Staufen, where the devil claimed Dr. Faust just as he was about to

La route commence à Baden-Baden, une ville d'eaux de renommée mondiale où l'on ne rencontre pas uniquement des curistes. Chaque année en effet, les courses de chevaux à Iffezheim attirent un public élégant et mondain.

La route des crêtes mène ensuite à Freudenstadt en passant par l'Unterstmatt, la Hornisgrinde (une montagne de 1164 mètres d'altitude), par deux lacs, le Mummelsee et le Wildsee, le Schliffkopf et le Kniebis.

Mais n'oublions pas Fribourg, la capitale secrète de la Forêt-Noire qui fut fondée en 1120. Le cœur de la ville est constitué par la cathédrale Notre-Dame, vieille de 800 ans, et qui a «la plus jolie tour de la chrétienté» comme l'a dit une fois l'historien suisse, Jacob Burckhardt. L'imposante église est au centre d'une vie animée. Sur la place du Marché, devant la cathédrale, des marchands proposent leurs articles, des étudiants se dorent au soleil, des touristes photographient le Kaufhaus, un entrepôt en grès rouge datant de 1532, avant de se diriger vers la place toute proche de l'hôtel de ville avec l'ancienne salle de justice qui date de 1280.

Un des buts d'excursion préférés des Fribourgeois est le Schauinsland (1284 mètres d'altitude) auquel

Der bekannteste und zugleich höchste Berg des Schwarzwaldes ist der 1493 Meter hohe Feldberg, im Winter ein bekanntes Revier der Skiläufer.

Romantische Winkel im Schwarzwald gibt es überall, ob im engen Münstertal oder im Weindorf Durbach in der Ortenau, ob im mit wunderschönen Häusern geschmückten Sasbachwalden oder im heimeligen Staufen, wo der Teufel den Doktor Faust geholt, grad' als der sich anschickte, das Geheimnis des Goldmachens zu lüften.

Wer aber dieses Land und seine Menschen so richtig kennenlernen will, der muß während der Fasnachtszeit hierher kommen. Die Fasnacht wurzelt tief in der Vergangenheit – beim germanischen Stamm der Alemannen.

Wenn damals, vor rund 2000 Jahren, der Frühling den Winter besiegte und die Geister der Dunkelheit denen des Lichts weichen mußten, dann wurden die Menschen keck, verwandelten sich mit Hilfe von Masken selbst in allerlei Geistervolk und verspotteten die düsteren Mächte.

Daraus hat sich ein fröhliches Treiben entwickelt. Jeder Ort feiert seine Fasnacht, hat seine ganz besonderen Masken und Kostüme, die man hier Kleidle oder Häs nennt.

discover the secret of making gold. But to get to know this countryside and its people really well, it is essential to come here during carnival time. Fasnacht, as it is called locally, has its origins in the ancient days of the Germanic tribe called the Alemanni, about 2,000 years ago. Then, when spring began to prevail over winter, and the spirit of darkness succumbed to that of light, the people took courage, transformed themselves into spirit-like creatures with the aid of masks, and made fun of the retreating sombre powers. This custom developed into a festival of fun. Every place celebrates Fasnacht, has its own particular kinds of masks and costumes. It is during Fasnacht that the Lake Spirit rises out of the 130 ft deep Titisee, and watches pirates fish lovely nymphs out of the water while he pensively combs the weeds from his beard with his fingers.

mène un téléphérique de 3,6 kilomètres mais aussi une route sinueuse.

La montagne la plus connue et également la plus haute de la Forêt-Noire est le Feldberg (1 493 mètres d'altitude), une région de sports d'hiver réputée.

La Forêt-Noire abonde en coins romantiques, que ce soit dans l'étroit Münstertal, dans le village viticole de Durbach dans l'Ortenau, à Sasbachwalden aux ravissantes maisons décorées de fleurs ou dans l'aimable localité de Staufen où le diable vint chercher le Dr Faust juste au moment où il s'apprêtait à révéler le secret de l'alchimie.

Mais quiconque veut vraiment connaître cette contrée et ses habitants doit y venir à l'époque du carnaval. Les origines du carnaval sont très anciennes, elles remontent à la tribu germanique des Alamans.

Lorsqu'à l'époque, il y a de cela environ 2000 ans, le printemps avait triomphé de l'hiver et que l'esprit des ténèbres cédait la place à celui de la lumière, les gens s'enhardissaient et, au moyen de masques, se changeaient eux-mêmes en toutes sortes d'esprits et se moquaient de la fuite des sombres puissances.

Tout cela s'est transformé au fil des temps en de joyeuses réjouissances.

▷ **Bei Vöhrenbach**
Der Winter regiert wieder mit eisigem Szepter. Mensch und Tier finden Geborgenheit unter dem schützenden Dach des Schwarzwaldhauses. Die Vorräte lagern in der Scheune auf der Rückseite des harmonisch an den Hang gebauten Hofes.

▷ **Near Vöhrenbach**
Winter rules again with icy sceptre. Man and his animals find a cosy retreat under the protective roof of the Black Forest house. The stores are kept in the barn at the back of this building whose architecture is so harmoniously adapted to the slope.

▷ **Près de Vöhrenbach**
L'hiver gouverne à nouveau d'une main de glace. Hommes et animaux ont trouvé refuge sous le toit protecteur de cette pittoresque maison de la Forêt-Noire. Les provisions sont entreposées dans la grange derrière la ferme qui s'intègre harmonieusement dans le paysage.

▽ Hirsau/Klosterruine St. Peter und Paul

Im dunklen Tal der Nagold liegt Hirsau, heute von der Welt vergessen, doch im 11. Jahrhundert Ausgangspunkt einer Bewegung, die als Hirsauer Reform in die Geschichte eingegangen ist. Keiner weltlichen Macht sollte das Kloster unterstehen, sondern allein dem Papst. 1692 legte der französische General Mélac das Kloster in Schutt und Asche. Von der gewaltigen Basilika blieb nur der Eulenturm.

▽ Hirsau/The ruins of the monastery of St. Peter and Paul

Hirsau lies in the dark valley of the Nagold, forgotten by the world today; but, in the 11th century, it was the centre of a movement which has gone down in history as the Hirsau Reform. One of the main features of this was the idea that monasteries should be subject to the Pope only, and not to any secular power. In 1692, the French general, Mélac, burnt the monastery to the ground.

▽ Ruines de l'abbaye bénédictine de Hirsau

Situé dans la sombre vallée de la Nagold, oublié aujourd'hui du monde, Hirsau fut au XIᵉ siècle le point de départ d'un mouvement entré dans l'histoire sous le nom de «Réforme de Hirsau». L'abbaye ne devait dépendre d'aucun pouvoir temporel mais relever uniquement du pape. En 1692, le général français Mélac incendia l'abbaye.

▷ Gutach/Freilichtmuseum Vogtsbauernhof

Wohn- und Arbeitsbereich sind im Schwarzwaldhaus, das traditionell nur mit Materialien der Gegend errichtet wurde, unter einem Dach vereinigt. Neben Küche und Schlafkammer findet sich so die Ölmühle, die übrigens noch in Betrieb gesetzt werden kann, im selben Gebäude. In zahlreichen Schwarzwaldgemeinden gibt es bis auf den heutigen Tag Schneiderinnen, die die traditionellen Trachten liebevoll nähen und besticken.

▷ Gutach/The Vogtsbauernhof Open Air Museum

The living and working quarters are united under one roof in the Black Forest house, which is traditionally built out of local materials. Thus the same house will, for example, contain an oil mill in addition to bedrooms and kitchen.
Sempstresses specializing in the making of the traditional regional costumes are still to be found in many Black Forest communities.

▷ Gutach/Vogtsbauernhof, musée folklorique de plein air

La maison traditionnelle de la Forêt-Noire, construite uniquement avec des matériaux de la région, réunissait sous le même toit les locaux d'habitation et de travail. C'est ainsi qu'à côté de la cuisine et de la chambre à coucher, on trouve dans le même bâtiment le moulin à huile qui est d'ailleurs encore en état de marche.
Dans de nombreuses communes de la Forêt-Noire, il y a encore aujourd'hui des couturières qui cousent et brodent avec amour les costumes traditionnels.

17

*Trachten mit rotem und schwarzem
Bollenhut aus dem Gutachtal
Schnapsbrennereien, in denen ein
vorzügliches Obstwasser destilliert
wird
Kuckucksuhren
Zünftiges Vesper*

▷ **Hexenlochmühle**

*Die alte Mühle klappert noch heute
unverdrossen im Tal der Wildgutach.
Auf romantischere Weise sind
wohl noch nirgendwo sonst die
Kräfte der Natur genutzt worden.*

◁ **Black Forest impressions**

*Ethnic costumes from the Gutach
Valley, with red and black pom-
pom hats
Distilleries specializing in excellent
fruit brandies
Cuckoo clocks
A good solid snack*

▷ **Hexenloch Mill**

*The old mill in the valley of the
Wildgutach still untiringly does its
duty. A more romantic way of har-
nessing Nature's forces is hard to
imagine.*

◁ **Impressions de la Forêt-Noire**

*Costumes régionaux avec le cha-
peau à pompons noir et rouge de la
vallée de la Gutach
Des distilleries où l'on fabrique une
excellente eau-de-vie
Des coucous de la Forêt-Noire
Un vrai goûter*

▷ **Moulin du Hexenloch**

*Aujourd'hui encore, le vieux moulin
tictaque sans relâche dans la vallée
sauvage de la Gutach. Nulle part
ailleurs, semble-t-il, on n'a utilisé
de façon plus romantique les forces
de la nature.*

▽ Auf dem Schauinsland

Auf Freiburgs Hausberg, dem Schauinsland, weht immer ein frischer Wind, bisweilen fegt auch ein ausgewachsener Sturm darüber hinweg und zerzaust die verwitterten Wetterbuchen gehörig. Ein Wunder ist es, daß die jahrhundertealten Bäume den Naturgewalten bis heute widerstanden haben, und dies dazu in so malerischer Weise.

▽ On Schauinsland

On Schauinsland, Freiburg's "own" mountain, there is always a fresh breeze blowing – and sometimes a violent storm which puts the strength of the centuries-old beech trees to the test.

▽ Sur le Schauinsland

Sur le Schauinsland, une montagne des environs de Fribourg, un vent frais souffle en permanence et parfois même une véritable tempête vient tout balayer et ébouriffe sérieusement les hêtres malmenés par les intempéries. Et c'est un miracle que ces arbres centenaires aient résisté jusqu'à maintenant et de façon si pittoresque aux forces de la nature.

▷ **Freiburg im Breisgau/Münster Unserer Lieben Frau**

Das Münster, an dem zwölf Generationen Freiburger Bürger gebaut haben, wurde noch im ausgehenden Mittelalter vollendet. Berühmtheit erlangte die Kirche durch den prächtigen 116 m hohen Westturm, dessen vollkommene Proportionen ihn bis ins 19. Jahrhundert stilbildend werden ließen.

▷ **Freiburg im Breisgau/The Minster**

Twelve generations of Freiburg citizens worked on the building of the Minster, which was completed at the end of the Middle Ages. The magnificent west tower (380 ft high) is its most famous feature; its perfect proportions made it a much-admired model for other towers right into the 19th century.

▷ **Fribourg en Brisgau/Cathédrale Notre-Dame**

Le «Münster», qu'ont édifié douze générations de Fribourgeois, a été terminé à la fin du moyen âge. L'église est devenue célèbre par sa splendide tour de 116 mètres de hauteur dont les proportions parfaites ont servi de référence en matière de style jusqu'au XIXᵉ siècle.

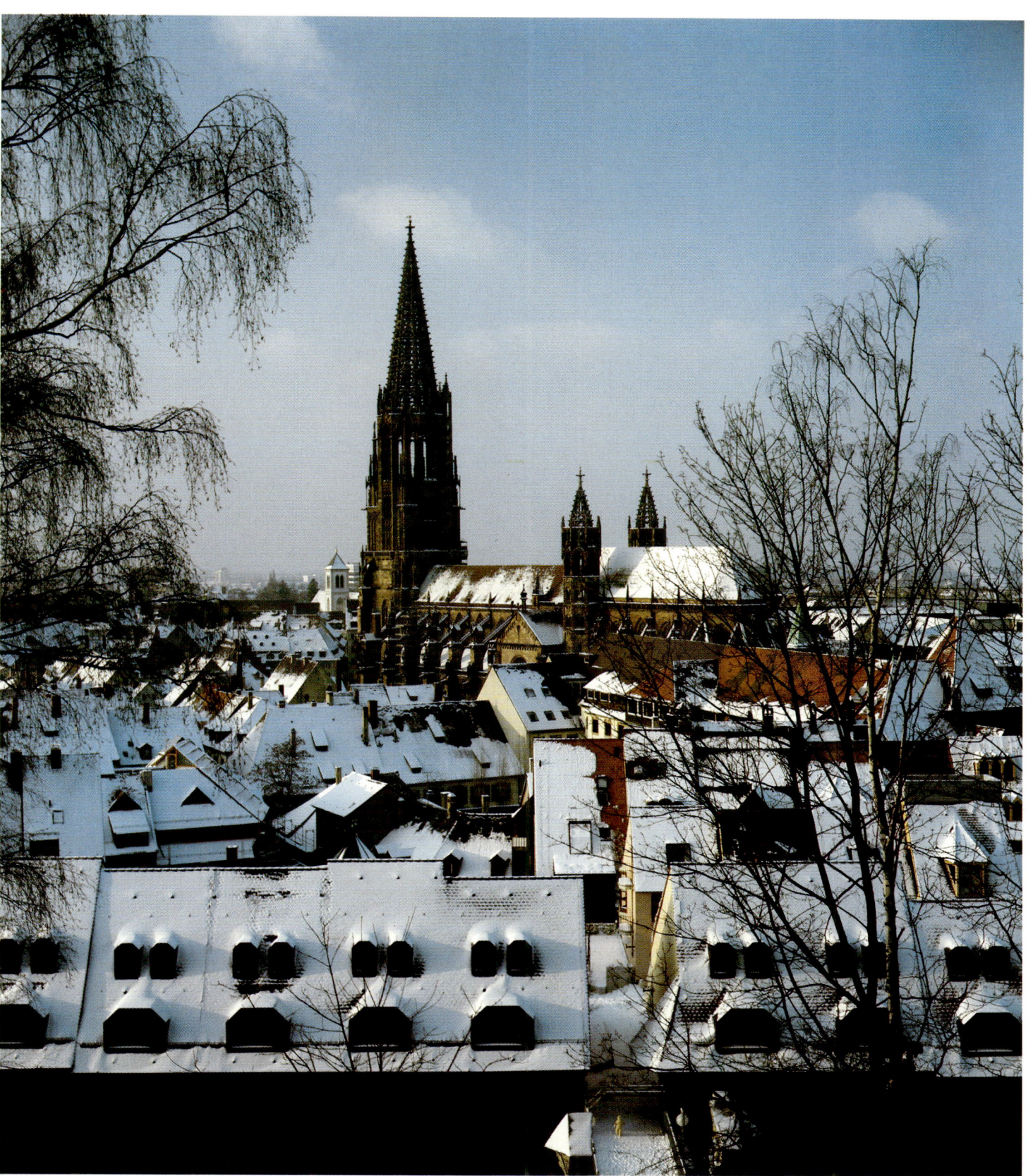

21

▽ **Fasnet in Rottweil**

Die Rottweiler Fasnet ist eine der farbenprächtigsten und traditions-reichsten im alemannischen Raum. In der ehemaligen Freien Reichs-stadt, wo sich die Fasnet bereits im 16. Jahrhundert nachweisen läßt, haben sich nämlich erstaunlich vie-le Masken, Gewänder und Fasnets-utensilien erhalten. Unter den be-kanntesten Maskenfiguren finden sich der „Federahannes" (links) sowie der „Gschellnarr" (Mitte).

▽ **Carnival in Rottweil**

The Rottweil carnival is one of the most colourful and most traditional in the whole of the Alamannic re-gion. The carnival tradition can be traced back to the 16th century. An amazing variety of masks, costumes, and other carnival appurtenances have been preserved and are still in use. Two of the best-known masked figures are "Feathered Hans" (left) and the "Belled Fool" (middle).

▽ **Carnaval à Rottweil**

Le carnaval de Rottweil est un des plus hauts en couleurs et des plus riches en traditions de la région alé-manique. L'ancienne ville libre im-périale, où le carnaval remonte au XVIe siècle, a en effet gardé un nom-bre impressionnant de masques, costumes et ustensiles carnavales-ques. Parmi les masques les plus connus: le «Federahannes» (à gauche) et le «Gschnellnarr» (au milieu).

▷ **Offenburger Hexen**

In Offenburg treiben derweil die Hexen, allesamt Männer, ihr närri-sches Unwesen.

▷ **The Offenburg Witches**

In Offenburg the witches (all of them men) are abroad during the carnival time.

▷ **Les sorcières d'Offenburg**

A Offenburg, ce sont les sorcières, toutes des hommes, qui hantent les lieux au moment du carnaval.

Der Bodensee

An einem Julitag des Jahres 1900 stieg an der Bucht von Manzell bei Friedrichshafen am Bodensee ein sonderbares Gebilde in die Lüfte, das wie eine Zigarre aussah: Es war das erste lenkbare Luftschiff der Welt. Sein Erfinder war der im Jahre 1838 in Konstanz geborene Graf Zeppelin. Das Zeppelinmuseum in Friedrichshafen erinnert an diese Pioniertat aus den Anfängen der Luftfahrt.

Der Bodensee, auch Schwäbisches Meer genannt, gehört zu den besonders schönen Binnengewässern Europas. Er wird vom Rhein durchflossen, ist 72 Kilometer lang, 14 Kilometer breit und bis zu 252 Meter tief.

Geheimnisumwittert ist bis auf den heutigen Tag eine seltsame Naturerscheinung – das Seeschießen. Es ist ein donnerartiges Dröhnen, das aus dem See kommt. Niemand weiß, wie und warum es entsteht. Sonst aber geht es friedlich zu am Bodensee, dessen Ufer sich Deutschland (168 Kilometer), die Schweiz (69 Kilometer) und Österreich (26 Kilometer) teilen. Malerisch ist die Blumeninsel Mainau, deren Blütenkalender im März beginnt und im Oktober endet, wenn auf der Insel mehr als 20 000 Dahlien blühen. Ein beliebter Bodenseewinkel ist Meersburg mit seinen verträumten

Lake Constance

On a July day in 1900, a strange cigar-shaped object rose into the air above Manzell Bay near Friedrichshafen: it was the world's first dirigible airship. Its inventor was Count Zeppelin (born in Constance in 1838). The Zeppelin Museum in Friedrichshafen recalls his pioneering work in the early days of aviation.

Lake Constance, also called the Swabian Ocean in Germany, is one of Europe's most beautiful stretches of inland water. It is 40 miles long, 8 miles wide, over 800 feet deep in parts, and is fed and drained by the River Rhine.

A strange natural phenomenon, which is still not understood, is a noise like thunder that emanates from the lake. The local name for it is "Seeschiessen" (lit.: lake shooting). But otherwise the Swabian Ocean, whose shores are shared by Germany (105 miles), Switzerland (43 miles) and Austria (16 miles), is peaceful enough. The fertile island of Mainau, alive with flowers from March to October, is a sight worth seeing, especially late in the season, when 20,000 dahlias are in bloom. Another favourite spot on Lake Constance is Meersburg. With its picturesque streets and alleys it forms one of Europe's most charming townscapes. The Old Castle,

Le lac de Constance

Un jour de juillet de l'année 1900, un engin étrange, qui ressemblait à un cigare, s'éleva dans le ciel à partir de la baie de Manzell près de Friedrichshafen sur les bords du lac de Constance: c'était le premier dirigeable du monde. Le comte Zeppelin, né en 1838 à Constance, en était l'inventeur. Le musée Zeppelin à Friedrichshafen rappelle cet acte de pionnier des débuts de l'aéronautique.

Encore appelé la mer Souabe, le lac de Constance compte parmi les eaux intérieures les plus belles d'Europe. Traversé par le Rhin, il a 72 kilomètres de long, 14 kilomètres de large et jusqu'à 252 mètres de profondeur.

Le lac de Constance est doté d'un étrange phénomène naturel, inexpliqué jusqu'à ce jour: le «Seeschiessen» (le «tir du lac»). Il s'agit d'un grondement semblable à celui du tonnerre qui part du lac et dont personne ne sait pourquoi et comment il se produit.

Mais, à part cela, tout est paisible sur le lac dont les rives sont partagées entre l'Allemagne (168 kilomètres), la Suisse (69 kilomètres) et l'Autriche (26 kilomètres). Avec ses innombrables fleurs dont la floraison commence au mois de mars et se termine au mois d'octobre lorsque 20 000 dahlias fleurissent, l'île

Gassen. Dort findet der Gast eines der reizvollsten Städtebilder Europas. Im Alten Schloß leben seit dem 7. Jahrhundert Menschen, es ist damit die älteste bewohnte Burg Deutschlands.

In den gemütlichen Weinstuben von Meersburg aber sollte man die Bodenseeweine probieren, die so gut sind, daß sie die Leute vom Bodensee am liebsten selber trinken, wobei ihnen natürlich die zahlreichen Touristen kräftig helfen.

Das Mittelalter wird lebendig in Lindau mit seinem idyllischen Hafen, der bewacht wird vom bayerischen Löwen, einer steinernen Plastik, die freilich einen kleinen Fehler hat: Der Löwe kann nicht brüllen, denn der Bildhauer hat vergessen, ihm eine Zunge in den Rachen zu setzen.

Die größte Stadt am Bodensee ist Konstanz, wo zu Beginn des 15. Jahrhunderts das Konstanzer Reformkonzil stattfand, der größte mittelalterliche Kongreß des Abendlandes. Damals wurde zum ersten und einzigen Mal ein Papst auf deutschem Boden gewählt. Das Konzilgebäude steht noch heute. Es ist das Kaufhaus aus dem Jahre 1388.

which has been lived in since the 7th century, is Germany's oldest inhabited castle. Meersburg's wine taverns provide the ideal setting in which to try the Lake Constance wines. They are so good that most of them are drunk locally – with the help, of course, of the many tourists.

Lindau brings the Middle Ages back to life. The idyllic harbour is guarded by a stone lion, symbol of Bavaria, but the poor beast is handicapped: it cannot roar, as the sculptor omitted to give it a tongue. The largest town on Lake Constance is Constance itself, where the Council of Constance took place in the early 15th century. It was Christendom's largest medieval congress, and it marked the only occasion on which a Pope was elected on German soil. The council building, built in 1388, still stands today.

de Mainau est un endroit très pittoresque.

Meersburg, avec ses charmantes ruelles, est un coin très recherché par les touristes qui y trouvent l'une des plus ravissantes petites villes d'Europe. Son Château vieux, qui a des occupants depuis le VII<e> siècle, est ainsi le plus ancien château habité d'Allemagne.

Dans les agréables tavernes de Meersburg, il faut déguster les vins du lac de Constance qui sont si bons que les habitants de la région préfèrent les boire eux-mêmes, aidés bien entendu en cela par les nombreux touristes.

Le moyen âge revit à Lindau avec son port idyllique que surveille un lion bavarois, une sculpture en pierre qui a toutefois un petit défaut: le lion ne peut pas rugir car le sculpteur a oublié de lui donner une langue.

La plus grande ville du lac est Constance où se déroula au début du XV<e> siècle le concile de la réforme, le plus grand congrès occidental du moyen âge. Pour la première et unique fois, un pape y fut élu sur le sol allemand. La maison du Concile existe encore. C'est le Kaufhaus, un entrepôt construit en 1388.

▷ **Lindau im Nebel**
Der historische Kern Lindaus liegt anmutig auf einer kleinen Insel im Bodensee. Hier ist gut sein, auch in der unwirtlichen kalten Jahreszeit, denn die alte Stadt ist durch die Umgebung begünstigt: „Behütet von den ausgestreckten Bergen zu beiden Seiten des Rheintals, schwimmt es angekettet im Wasser", schrieb einst der Elsässer René Schickele über Lindau.

▷ **Lindau in fog**
The historic core of Lindau is charmingly situated on a small island in Lake Constance. It is a pleasant place to be even in the winter, because the town is sheltered by the mountains.

▷ **Lindau dans le brouillard**
Le noyau historique de Lindau est blotti sur une petite île du lac de Constance. Il y fait bon vivre même à la saison froide et inhospitalière de l'année car la vieille ville est protégée par son entourage: «Gardée par les montagnes qui s'allongent des deux côtés de la vallée du Rhin, elle nage enchaînée dans l'eau» a dit une fois de Lindau l'Alsacien René Schickele.

◁ **Über den Hegauer Vulkankegeln**
Nordwestlich des Bodensees stößt der Besucher auf eine urwüchsige Landschaft, den Hegau. Hier ging es in grauer Vorzeit hoch her, im wahrsten Sinne des Wortes, denn überall spien Vulkane Feuer. Sie sind inzwischen längst erloschen, ragen jedoch – riesigen Kegeln gleich – unvermittelt aus dem flachen Bodenseeland und bilden so des „Herrgotts Kegelspiel", wie der Volksmund den Hegau treffend nennt.

◁ **Above the volcanic cones of Hegau**
The Hegau is a geologically interesting region to the north-west of Lake Constance. It was once a hot spot in the literal sense of the phrase, for it was full of fire-belching volcanoes. They have long since been extinct, but their conical peaks still tower over the otherwise flat Lake Constance landscape; locally they are affectionately known as "God's skittles".

◁ **Vue sur les pitons volcaniques du Hegau**
Au nord-ouest du lac de Constance, le visiteur rencontre un paysage primitif, le Hegau, parsemé d'étranges pitons volcaniques, vestiges de volcans depuis longtemps éteints. Dans le langage populaire, ils forment «le jeu de quilles du bon Dieu», une expression qui semble bien pertinente.

◁ Meersburg/Altes Schloß

Deutschlands größte Dichterin, Annette von Droste-Hülshoff, verbrachte die letzten Jahre ihres Lebens auf der alten Burg. Vielleicht hatte sie den hohen Turm bestiegen, als sie die folgenden Verse niederschrieb:
Ich steh auf hohem Balkone am
* Turm,*
Umstrichen vom schreienden Stare,
Und laß gleich einer Mänade den
* Sturm*
Mir wühlen im flatternden Haare ...

◁ Meersburg/The Old Castle

Germany's greatest poetess, Annette von Droste-Hülshoff, spent the last years of her life in the old castle. She was a poet of the intimate, of atmospheres. One of her verses, in which she describes how a starling flies shrieking around a high balcony on which she is standing while the wind sets her hair streaming, might well have been inspired by an occasion when she climbed the castle's high tower.

◁ Meersburg/Le Château vieux

La grande poétesse allemande, Annette von Droste-Hülshoff, a passé les dernières années de sa vie dans le Château vieux. Peut-être se trouvait-elle sur la haute tour lorsqu'elle écrivit:
Sur le haut balcon de la tour,
des étourneaux criards m'entourent et le vent, comme une ménade, dans mes cheveux flottants s'attarde ...

▷ Insel Reichenau

Dies ist kulturträchtiger Boden. Schon im 8. Jahrhundert gründete der heilige Pirmin hier ein Benediktinerkloster, das eine Zeitlang zur bedeutendsten Reichsabtei nördlich der Alpen werden sollte.

▷ Reichenau island

This is a place with a long cultural history. St. Pirminius founded a Benedictine monastery here in the 8th century. For a while it was the most important monastery north of the Alps answering directly to the emperor.

▷ L'île de Reichenau

C'est une terre riche de civilisation. Dès le VIIIᵉ siècle, saint Pirmin y a fondé une abbaye bénédictine qui allait être une des abbayes impériales les plus importantes au nord des Alpes.

◁ Meersburg/Die Oberstadt

Malerisch reihen sich in der Oberstadt Meersburgs alte Fachwerkhäuser aneinander.

◁ Meersburg/The Upper Town

Meersburg's old half-timbered houses are only one of the picturesque sights the Upper Town has to offer.

◁ Meersburg/La ville haute

D'anciennes maisons à colombages sont alignées de façon pittoresque dans la ville haute de Meersburg.

Die Alpen

Schrecklich wütete im Jahre 1633 die Pest in den Dörfern des Alpenlandes. Die Menschen wußten sich keinen Rat mehr. Die Herrgottsschnitzer von Oberammergau aber wandten sich in ihrer Not an den Schöpfer und gelobten ihm, künftig alle zehn Jahre zu seinen Ehren ein Passionsspiel zu geben, wenn er der Seuche ein Ende bereite.

Die Oberammergauer haben das Versprechen gehalten bis auf den heutigen Tag. Das ganze Dorf spielt mit, denn weit über hundert Sprechrollen sind zu besetzen, und noch wesentlich mehr Statisten sind notwendig für die großen Volksszenen auf der Freilichtbühne. Im Zuschauerraum haben über 5000 Personen Platz. Das nächste Passionsspiel findet im Jahre 1990 statt. Unweit von Oberammergau liegt Ettal mit seinem barocken Kloster und der vielbesuchten Wallfahrtskirche. Und ganz in der Nähe ist auch Schloß Linderhof zu finden, das der bayerische Märchenkönig Ludwig II. erbauen ließ.

Das alles nun liegt am Rande des Werdenfelser Landes, einer der schönsten Regionen Deutschlands, die gekrönt wird von der 2963 Meter hohen Zugspitze. Sie ist der höchste Berg Deutschlands. Von Garmisch-Partenkirchen aus fährt man mit der Zugspitzbahn, die

The Alps

In the year 1633, the plague ravaged the Alpine villages. The people were in despair. But the woodcarvers of Oberammergau turned to their Creator and vowed to enact the Passion and Death of the Lord at ten-year intervals if He should in his mercy bring the plague to an end. The Oberammergau inhabitants have kept their promise right up to the present day. The whole village participates, because, for the great crowd-scenes on the open-air stage, the play calls for over a hundred speaking parts and several hundred supernumeraries. There is seating for over 5,000 spectators. The next performances will be in 1990.

Not far from Oberammergau is Ettal, with its baroque monastery and splendid pilgrimage church. And also not far away is Linderhof Palace, built by Bavaria's "fairytale king", Ludwig II.

All this lies on the fringe of the Werdenfels region, with some of Germany's most spectacular scenery, crowned by the Zugspitze, which, with its 9,721 ft peak, is Germany's highest mountain. The Zugspitz Railway, which starts from Garmisch-Partenkirchen, and from Grainau upwards becomes a cogwheel railway, takes 70 minutes to reach the Schneefernerhaus Hotel.

Les Alpes

En 1633, une terrible épidémie de peste ravagea les villages de la région des Alpes. Les habitants ne savaient plus que faire. Dans leur détresse, les sculpteurs de crucifix d'Oberammergau s'adressèrent alors au Créateur et firent le vœu de représenter désormais le drame de la Passion tous les dix ans s'Il enrayait l'épidémie.

Les habitants d'Oberammergau ont tenu leur promesse jusqu'à ce jour. Et tout le village participe à la représentation car plus de cent rôles parlés sont à distribuer et plusieurs centaines de figurants sont nécessaires pour les grandes scènes populaires dans le théâtre en plein air où plus de 5000 spectateurs peuvent prendre place. La prochaine représentation de la Passion aura lieu en 1990.

Non loin d'Oberammergau se trouve Ettal avec son abbaye de style baroque et son église de pèlerinage très fréquentée. Et tout près également est situé le château de Linderhof que fit construire le romantique roi de Bavière, Louis II. Tous ces endroits se trouvent en bordure de la région de Werdenfels, une des plus jolies d'Allemagne que domine la Zugspitze, d'une altitude de 2963 mètres, la plus haute montagne d'Allemagne. De Garmisch-Partenkirchen, par le chemin de fer

◁ **Die Zugspitze**
Deutschlands höchster Berg gewährt einen atemberaubenden Blick auf die ewig weißen Alpengipfel.
▷▷ **Der Tegernsee bei Rottach-Egern**
Das freundliche Tegernseer Tal lud schon immer zum Verweilen ein. Zunächst kamen Mönche und gründeten hier ein bedeutendes Kloster. Später ließen sich Künstler wie die Schriftsteller Ludwig Thoma oder Ludwig Ganghofer in Rottach-Egern am Südende des Tegernsees nieder.

◁ **Zugspitze**
Germany's highest mountain provides a breathtaking view of the eternally white Alpine peaks.
▷▷ **Lake Tegern, near Rottach-Egern**
The pleasant Tegernsee valley has always been a popular place to visit – and to settle in.

◁ **La Zugspitze**
La plus haute montagne d'Allemagne offre une vue impressionnante sur les sommets éternellement blancs des Alpes.
▷▷ **Le Tegernsee près de Rottach-Egern**
La riante vallée du Tegernsee a de tout temps été accueillante.

in Grainau zur Zahnradbahn wird, in 70 Minuten hinauf zum Schneefernerhaus. Und von dort aus geht es zum Zugspitzplateau, dem höchstgelegenen Skigebiet in Deutschland.

Zentrum des Werdenfelser Landes ist Garmisch-Partenkirchen, Schauplatz der Olympischen Winterspiele des Jahres 1936. Das städtische Garmisch und das eher dörfliche Partenkirchen gehören zu den großen Anziehungspunkten in den deutschen Alpen.

Zu den beliebten Urlaubslandschaften in den Alpen zählt aber auch der Tegernsee. Der Bayernkönig Max I. Joseph ließ zu Beginn des vorigen Jahrhunderts das aufgelöste Benediktinerkloster Tegernsee zu einem Sommerschloß ausbauen. Bald darauf entstanden ringsum Adelssitze, denn die Herrschaften suchten – wie überall, so auch in Bayern – die Nähe des Königs.

Wer sich den Tegernsee und das umliegende Land von oben ansehen will, der fährt am besten mit der Seilbahn zum 1722 Meter hohen Wallberg hinauf, von dem man einen unvergleichlichen Rundblick hat.

Oberhalb des dörflichen Bayrischzell liegt das Sudelfeld, im Winter ein bevorzugtes Skigebiet. Dort hinauf führt eine Straße, an deren Ende

From there it is only a short way to the Zugspitz plateau, the highest-lying skiing area in Germany. Garmisch-Partenkirchen, where the 1936 Winter Olympics were staged, is at the heart of the Werdenfels region. The two communities – urban Garmisch and the still rather rural Partenkirchen – form one of the most popular resorts in the German Alps.

Another favourite beauty spot in the Alps is the Lake Tegern area, where the Bavarian King, Max I Joseph, converted the former Benedictine monastery into a summer palace at the beginning of last century. The aristocracy soon built mansions in the region, for in Bavaria as elsewhere, high society loves nothing more than to gather round a King. To get a bird's-eye view of Lake Tegern and the surrounding countryside, the best thing is to take the cable-car up the 5,650 ft high Wallberg, from the top of which a magnificent panorama can be enjoyed. Sudelfeld, a favourite skiing area, lies above the rural resort of Bayrischzell. The road leading up the mountain ends at the inn called "Zum Feurigen Tatzelwurm", which is called after a dreadful fire-spouting dragon which is said once to have guarded the nearby waterfall.

qui, à Grainau, devient à crémaillère, on est en 70 minutes au Schneefernerhaus, le terminus de la ligne et de là on accède au plateau de la Zugspitze, la région de ski la plus élevée d'Allemagne.

Le centre de la région de Werdenfels est Garmisch-Partenkirchen qui a accueilli les jeux Olympiques d'hiver en 1936. Garmisch l'urbaine et Partenkirchen, qui a gardé un air de village, sont un des grands pôles d'attraction des Alpes allemandes.

Le Tegernsee compte également au nombre des régions de villégiature des Alpes. Au début du siècle dernier, l'ancienne abbaye bénédictine de Tegernsee fut transformée en château par le roi de Bavière, Maximilien Ier Joseph, qui en fit sa résidence d'été. Les nobles y construisirent bientôt des demeures alentour car, en Bavière comme partout, ils recherchaient le voisinage du roi. Quiconque veut voir le Tegernsee d'en haut ainsi que la région environnante fera bien de prendre le téléphérique qui conduit au Wallberg d'une hauteur de 1722 mètres d'où l'on jouit d'un panorama incomparable.

Au-dessus du village de Bayrischzell est situé le Sudelfeld, une région de sports d'hiver très fréquentée. On y accède par une route au bout de laquelle se trouve une auberge qui a

▷ Benediktinerkloster Ettal
Kaiser Ludwig der Bayer erhielt im Jahre 1327 von einem Mönch eine Marienstatue mit der Mission, ihr auf dem „Ampferang" ein Kloster zu erbauen. Als ein Jäger den Kaiser in das völlig unbewohnte Hochtal der Ammer führte, ging plötzlich dessen Pferd vor einer Tanne dreimal in die Knie. An dieser Stelle ließ der Kaiser den Wald roden und das Kloster errichten.

▷ The Benedictine Monastery of Ettal
Emperor Louis the Bavarian was given a statue by a monk in 1327 with the suggestion that he should build a monastery in the region. When Louis rode through the mountain valley of the Ammer his horse suddenly knelt three times in front of a fir tree, and this was where the emperor had the forest cleared and the monastery built.

▷ L'abbaye bénédictine d'Ettal
En 1327, l'empereur Louis le Bavarois reçut d'un moine une statue de la Vierge avec pour mission de lui construire une abbaye. Lorsque Louis traversa la vallée solitaire de l'Ammer, son cheval plia par trois fois les genoux devant un sapin. Il fit déboiser la forêt à cet endroit et édifier l'abbaye.

der Gasthof „Zum Feurigen Tatzelwurm" steht. Er hat seinen Namen nach einem abscheulichen Ungetüm, das einst feuerspeiend den nahen Wasserfall bewacht haben soll.

Bayern ist das Land der gemütlichen Gasthöfe und Bierstuben, das Land des Bieres überhaupt, obwohl die Bayern – das soll an dieser Stelle nicht unerwähnt bleiben – das Bierbrauen von den Norddeutschen gelernt haben. Doch in Bayern wurde das berühmte Gebot vom reinen Bier erlassen, im Jahre 1487. Danach darf „zu keinem Bier etwas anderes als Gerste, Hopfen und Wasser" verwendet werden.

Und zum Bier gibt es die guten Weißwürste, die aber ein ordentlicher Bayer nur bis zum Mittagsläuten ißt. Danach gibt's Kräftigeres, und es sei nur am Rande vermerkt, daß die Bayern die besten Schweinebraten in ganz Deutschland anzurichten verstehen. Wer übrigens feststellen will, ob die Weißwürste frisch sind oder schon einen Tag alt, der muß die Wurstpelle an die Decke werfen. Bleibt sie kleben, dann ist die Weißwurst in Ordnung. Viele bayerische Wirte haben allerdings für solchen Zierat an ihrer Gaststubendecke keinen Sinn.

Zu den bezauberndsten Winkeln in

Bavaria is a country of comfortable inns – and, of course, is renowned for its beer, although it must be said that the Bavarians actually learned the art of brewing from the North Germans. But the Bavarians are proud of their famous purity law of 1487, which lays down that nothing but "barley, hops, and water" may be used for the brewing of any beer. One of the traditional accompaniments to beer in Bavaria are the "Weisswürste" (veal and pork sausages) which no real Bavarian will eat after midday, as they are supposed to be absolutely fresh. From noon onwards, more substantial fare is consumed, and it is worth mentioning here that the Bavarians make the best roast pork in the whole of Germany. Anyone wishing to check whether white sausages really are fresh or not need only throw an empty sausage skin at the ceiling. If it sticks there, the sausage was fresh. It should be pointed out, though, that most Bavarian innkeepers are not exactly delighted to have their ceilings used for the test. One of the most delightful parts of Germany is the Berchtesgaden region, in the south-east corner of the republic. There, the petrified family of the evil King Watze is to be found – father, mother, and five children – which is how the seven

pour enseigne «Zum Feurigen Tatzelwurm», un nom qui lui vient d'un monstre qui, selon la légende, crachait le feu et gardait la cascade située à proximité.

La Bavière est le pays des auberges et des brasseries accueillantes à la chaude intimité et, d'une façon générale, le pays de la bière même si ce sont les Allemands du Nord – il ne faut pas l'oublier – qui ont appris aux Bavarois à brasser la bière. Mais c'est en Bavière qu'a été promulgué, en 1487, le célèbre décret sur la pureté de la bière. Aux termes de celui-ci, l'orge, le houblon et l'eau sont les seules substances autorisées pour la fabrication de la bière.

Et, avec la bière, on mange des Weisswürste, ces saucisses blanches qu'un vrai Bavarois ne consommera plus lorsque midi aura sonné. Passée cette heure, on apprécie une nourriture plus substantielle. Soit dit en passant, ce sont les Bavarois qui confectionnent les meilleurs rôtis de porc. Il y a un moyen de vérifier si les saucisses blanches sont fraîches ou si elles datent de la veille: il faut en jeter la peau au plafond. Si celle-ci reste collée, tout va bien. Mais bien des aubergistes bavarois n'apprécient nullement ce genre de décoration au plafond de leur salle.

La région de Berchtesgaden, située

▷ Schloß Linderhof
In abgeschiedener Bergeinsamkeit erbaute der bayerische König Ludwig II. das romantisch-verträumte Rokokoschloß Linderhof nach französischem Vorbild. Höhepunkte der verschwenderischen Innenausstattung sind die Gemächer des ersten Stocks, in denen Porträts französischer Persönlichkeiten aus der Zeit von Ludwig XIV. und Ludwig XV. hängen.

▷ Linderhof Palace
The Bavarian king, Ludwig II had this romantically conceived rococo palace built in the French style in a lonely part of the mountains. The highlights of the extravagant interior are the rooms on the first floor.

▷ Château de Linderhof
Dans la solitude des montagnes, le roi Louis II de Bavière fit construire le château de Linderhof, un édifice romantique de style rococo d'après un modèle français. La partie la plus importante de l'intérieur du château à la décoration somptueuse est constituée par les appartements royaux au premier étage où sont accrochés des portraits de personalités françaises de l'époque de Louis XIV et Louis XV.

Deutschland gehört das Berchtesgadener Land, im äußersten Südostzipfel der Republik gelegen. Dort thront die versteinerte Familie des bösen Königs Watze, Vater, Mutter und fünf Kinder: der 2714 Meter hohe Watzmann. Und den schönsten Blick auf diese Familie hat man von dem malerischen Berchtesgaden aus. Dort gibt es ein deftiges Bauerntheater, werden Touristen auf Bergwerksrutschen durchs Salzbergwerk befördert, ist es für Skifahrer nur noch ein Katzensprung zum Jenner und zum Roßfeld. Die kurvenreiche Roßfeldstraße ist landschaftlich sehr reizvoll und von vielen Aussichtspunkten gesäumt. Am Fuße des Watzmannmassivs liegt der Königssee, ein acht Kilometer langer Bergsee, auf dem man mit Schiffen zum Malerwinkel fahren kann oder nach St. Bartholomä, einem barocken Kirchlein vor der Ostwand des Watzmanns. Berühmt ist das Echo vom Königssee, das ausgelöst wird von den tüchtigen Hornbläsern an Bord der Passagierschiffe – zur Freude der Touristen aus aller Welt.
Es soll aber nicht vergessen werden, auf das Kehlsteinhaus hinzuweisen, oben auf dem Obersalzberg, zu dem eine großartige Bergstraße führt. Sie allein schon lohnt die Fahrt. Doch hinreißend ist die Aussicht

peaks of Watzmann, one of Germany's highest mountains, are described in legend. And the finest view of this family is to be obtained from Berchtesgaden itself. The town provides a number of delights for tourists: a lively folk theatre, visits to the local salt mines, including exhilarating rides on the underground train system, and skiing on the Jenner and Rossfeld slopes. The winding, scenically beautiful road up the Rossfeld provides many stunning views.
At the foot of the Watzmann Massif lies the Alpine lake called Königssee, nearly five miles long. It has attracted countless painters throughout the ages, and offers a number of round trips by boat, including one to St. Bartholomä, a baroque chapel built against the base of Watzmann. Königssee has a famous echo which is demonstrated with hunting horns on board the passenger ships that ply the lake, to the delight of trippers.
Another worthwhile excursion is to the Obersalzberg on top of which is the mountain hotel Kehlsteinhaus, reached by a magnificent mountain road which, for its own sake, is worth the drive. The view from the top is superb. Germany's largest accessible ice cave at Marktschellenberg is also well worth a visit. The

à l'extrémité sud-est de la République fédérale, compte parmi les coins les plus enchanteurs d'Allemagne. C'est là que trône la famille pétrifiée du méchant roi Watze, le père, la mère et les cinq enfants: le Watzmann, 2714 mètres d'altitude. Et c'est du pittoresque Berchtesgaden qu'on a la plus belle vue sur cette famille. La localité est dotée d'un théâtre paysan aux représentations savoureuses; les touristes peuvent y visiter la mine de sel en glissant sur des sortes de toboggan et les skieurs ne sont qu'à deux pas du Jenner et du Rossfeld. La route circulaire du Rossfeld est très pittoresque et jalonnée de nombreux points de vue. Au pied du massif du Watzmann se trouve le Königssee, un lac de montagne long de huit kilomètres sur lequel on peut effectuer des tours en bateau ou aller jusqu'à St-Bartholomä, une chapelle baroque construite contre la base du Watzmann. L'écho du Königssee est célèbre. En jouant une mélodie avec un cor, les bateliers le démontrent pour la plus grande joie des touristes du monde entier.
Mais il ne faut pas oublier de mentionner le Kehlsteinhaus en haut de l'Obersalzberg auquel mène une splendide route de montagne et d'où la vue est merveilleuse.
Intéressante également est la plus

▷ **Königssee mit St. Bartholomä**
Der bayerische Schriftsteller Ludwig Ganghofer schrieb über das Berchtesgadener Land einmal einen kurzen Satz, der über die ungewöhnliche Schönheit dieses Fleckchens Erde mehr aussagt als langatmige Abhandlungen. Er lautet: „Herr, wen Du lieb hast, den lässest Du fallen in dieses Land."

▷ **Lake König with St. Bartholomä**
The Bavarian writer Ludwig Ganghofer once wrote a short sentence which says more about the unusual beauty of this corner of the world than many long-winded descriptions: "Lord, let those that you love fall onto this patch of land!"

▷ **Königssee avec St-Bartholomä**
L'écrivain bavarois, Ludwig Ganghofer, a un jour écrit sur la région de Berchtesgaden une courte phrase qui en dit plus qu'un long exposé sur l'extraordinaire beauté de cet endroit. Cette phrase dit: «Seigneur, celui que tu aimes, laisse-le venir dans ce pays.»

von dort oben. Und sehenswert ist auch die größte erschlossene Eishöhle Deutschlands in Marktschellenberg. Die Höhle liegt in 1570 Meter Höhe. Dort erhebt sich der Untersberg, von dem die Sage geht, in seinem Innern schlafe Kaiser Karl der Große und warte auf den Tag, da er wieder einmal in Deutschland und Europa gebraucht werde.

Vor der wunderschönen Kulisse der grandiosen Alpenwelt liegt der Chiemsee. Er ist mit 80 Quadratkilometern der größte See des bayerischen Alpenvorlandes. Wer ihn besucht, der sollte auch hinüberfahren zu den Inseln Herren- und Frauenchiemsee.

Frauenchiemsee war bereits im 8. Jahrhundert von Benediktinerinnen besiedelt. Irmengard, eine Urenkelin Karls des Großen, liegt dort begraben. Sie starb im Jahre 866.

Auf Herrenchiemsee aber verwirklichte der bayerische Märchenkönig Ludwig II. seine Idee von einem bayerischen Versailles. Das prächtige Schloß wurde zwar nach seinem Tode im Jahre 1886 nicht weitergebaut, doch schon das Vorhandene, darunter der Spiegelsaal, ist ein Denkmal architektonischer Gestaltungsfreude.

cave lies at an altitude of 5,000 ft. Behind it the Untersberg Massif rises. Legend has it that Charlemagne rests and sleeps inside the Untersberg, waiting for the day when he will again be needed by Germany and by Europe. Charlemagne was the one ruler – it is now nearly 1,200 years ago – whom the French and the Germans had in common.

The Chiemsee – with an area of over 30 square miles Bavaria's largest lake – spreads out like a giant mirror against the majestic backdrop provided by the Bavarian Alps. Anyone visiting the Chiemsee should take a boat trip to the two islands Herrenchiemsee and Frauenchiemsee.

Frauenchiemsee was the site of a Benedictine convent as early as the 8th century. Irmengard, Charlemagne's great-granddaughter, is buried there. She died in 866. Herrenchiemsee, the larger island, was chosen by the Bavarian King Ludwig II as the site of a palace modelled on Versailles. Incomplete when he died in 1886, it was never finished, but even the existing fragment, which includes a great mirrored hall, is a monument to Ludwig's passion for building.

grande grotte de glace accessible d'Allemagne à Marktschellenberg. Elle est située à 1570 mètres d'altitude. Derrière elle s'élève l'Untersberg où, selon la légende, dormirait l'empereur Charlemagne en attendant le jour où l'on aura de nouveau besoin de lui en Allemagne et en Europe. Car c'est un souverain qu'Allemands et Français ont eu en commun, il y a un peu moins de 1200 ans.

Dans le merveilleux cadre que forment les Alpes majestueuses se trouve le Chiemsee. Avec 80 kilomètres carrés, il est le plus grand lac des Préalpes bavaroises. Le visiteur fera bien de se rendre également dans ses deux îles, la Herrenchiemsee et la Frauenchiemsee.

Dès le VIIIe siècle, la Frauenchiemsee accueillit un couvent de bénédictines. La bienheureuse Irmengard, une arrière-petite-fille de Charlemagne y est enterrée. Elle est morte en 866.

Dans l'île de Herrenchiemsee, le roi Louis II de Bavière réalisa son idée d'un Versailles bavarois. La construction du magnifique château ne fut certes pas achevée après sa mort en 1886 mais l'édifice qui a été réalisé, dont la galerie des glaces, est un monument à la gloire de la création architectonique.

▷ **Winterabend am Walchensee**
Der Walchensee ist der geheimnisvollste Alpensee. Seit alters her erzählt man sich, der See habe eine unterirdische Verbindung mit anderen Wasserläufen, ja sogar mit dem Meer. Denn als an Allerheiligen im Jahre 1755 die Stadt Lissabon durch ein Erdbeben zerstört wurde, da sei der Walchensee trotz völliger Windstille so sehr in Aufruhr geraten, daß es die Fischer aus ihren Kähnen geschnellt habe.

▷ **Winter by Lake Walchen**
There have long been legends about underground connections between the lake and other waters, even with the sea. For when the city of Lisbon was destroyed by an earthquake on All Saints' Day in 1755, the Walchensee is said to have become so wild that fishermen were thrown out of their boats – although it was a completely windless day.

▷ **Soir d'hiver sur le Walchensee**
On raconte que le lac a une jonction souterraine avec d'autres cours d'eau et même avec la mer. Car lorsqu'à la Toussaint, en 1755, Lisbonne fut détruite par un tremblement de terre, le Walchensee aurait été si agité – bien que le temps ait été calme – que les barques des pêcheurs auraient chaviré.

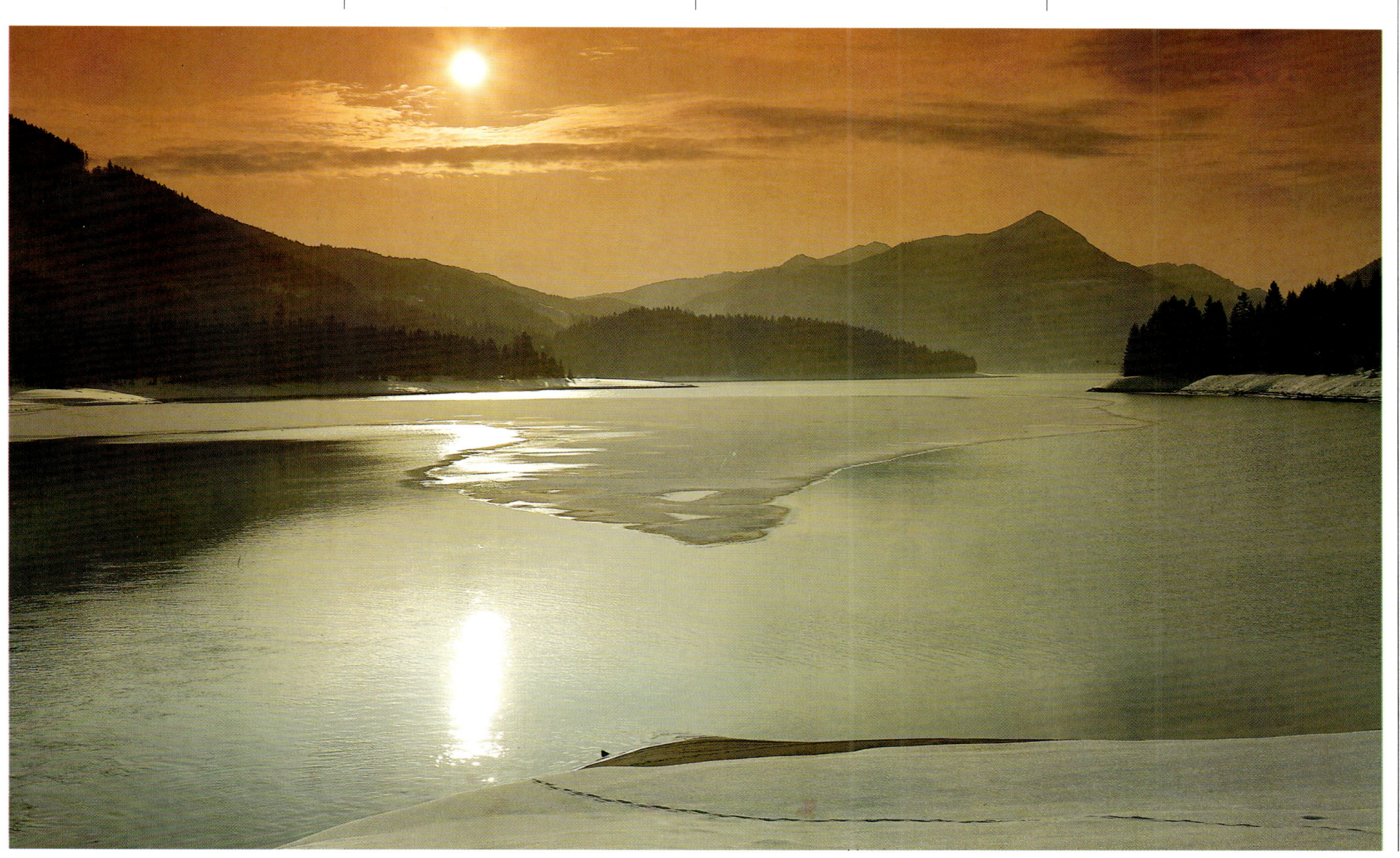

▷ Benediktinerinnenabtei Frauenchiemsee

Während vom Kloster auf Herrenchiemsee nur traurige Überreste geblieben sind, wurde auf der benachbarten Insel die einzigartige Anlage der Benediktinerinnenabtei auf fast wunderbare Weise erhalten. Der romanische Bau stammt in seinem Kern aus dem 11. Jahrhundert. Man errichtete zu dieser Zeit auch die Untergeschosse des freistehenden, achteckigen Glockenturmes, heute das Wahrzeichen der Insel.

▷ Benedictine Abbey on Frauenchiemsee

Whereas nothing but a few sad fragments remain of the monastery built on Herrenchiemsee island, the Benedictine Convent on the neighbouring island of Frauenchiemsee has survived intact. The core of the Romanesque building dates from the 11th century. The lower part of the octagonal campanile – now the island's symbol, was built in the same period.

▷ Couvent de bénédictines de Frauenchiemsee

Alors qu'il ne reste plus que de malheureux vestiges de l'abbaye de Herrenchiemsee, sur l'île voisine, le remarquable complexe de l'abbaye de bénédictines a été merveilleusement conservé. Le noyau de l'édifice roman date du XIᵉ siècle. C'est à cette époque également que fut édifié l'étage inférieur du clocher octogonal qui est aujourd'hui le symbole de l'île.

▽ **Neuburg an der Donau/
  Taxishaus
Wasserburg am Inn/Rathaus
Garmisch-Partenkirchen/Gasthaus
  „Zum Husaren"**

*Hier drei besonders gelungene
Beispiele für bayerischen Häuser-
schmuck: die üppige Rokoko-
fassade am Taxishaus in Neuburg,
der berühmte Treppengiebel am
Rathaus von Wasserburg aus dem
15. Jahrhundert sowie die Lüftl-
malerei, die dem Gasthaus „Zum
Husaren" offensichtlich zu seinem*

*Namen verhalf. Zwischen zwei Fen-
ster hat hier ein Schelm ein Schein-
fenster gemalt, aus dem sich ein
Husar und ein Dragoner lehnen.*

▷ **Herrgottsschnitzer in
  Oberammergau**

*Die Schnitzkunst der Oberammer-
gauer kann auf eine sehr lange Tradition zurückblicken, denn sie wird
bereits im Jahre 1111 erwähnt. Die
Fertigkeit des Holzschnitzens wurde
im Laufe der Zeit zum Haupter-
werbszweig des Ortes und brachte*

*ihm im 19. Jahrhundert wegen der
Perfektion der Holzstatuen Welt-
ruhm.*

▽ **Neuburg on the Danube/Taxis
  House
Wasserburg on the Inn/Town Hall
Garmisch-Partenkirchen/The
  "Zum Husaren" Inn**

*Three particularly fine examples of
Bavarian house decoration: the
sumptuous rococo façade of the
Taxis House in Neuburg, the famous 15th century stepped gable of
the Town Hall in Wasserburg, and
the mural on the inn called "Zum
Husaren" in Garmisch-Partenkirchen, from which the inn evidently*

gets its name. Here, some painter with a sense of humour painted a false window between two real ones with a hussar and a dragoon leaning out of it.

▷ **Woodcarver in Oberammergau**
The woodcarving tradition in Oberammergau has a very long history: it is first mentioned in documents dating back to the year 1111. In the course of time, woodcarving became the main local trade, specializing particulary in crucifixes. The

fine quality of the craftsmanship gained worldwide recognition in the 19th century.

◁ **Neuburg sur le Danube/Maison des Taxis**
Wasserburg sur l'Inn/Hôtel de ville
Garmisch-Partenkirchen/Auberge «Zum Husaren»
Voici trois exemples particulièrement réussis de décoration de façades de maisons bavaroises: la riche façade rococo de la maison des Taxis à Neuburg, le célèbre pignon à étages de l'hôtel de ville du XVe siècle de Wasserburg ainsi que la peinture en trompe-l'œil qui a sans doute contribué au nom de

l'auberge «Au hussard». Entre deux fenêtres, un peintre espiègle a représenté une fenêtre à laquelle sont accoudés un hussard et un dragon.

▽ **Sculpteur à Oberammergau**
Les sculptures d'Oberammergau ont une longue tradition car elles sont mentionnées dès l'an 1111. L'habileté du sculpteur sur bois a fait de cet art la principale branche d'activités de l'endroit devenu mondialement célèbre au XIXe siècle pour la perfection de ses statues en bois.

▽ **Fronleichnamsprozession am Staffelsee**

In den katholischen Gegenden Süddeutschlands finden bis auf den heutigen Tag an Fronleichnam feierliche Prozessionen statt. Zu den prächtigsten gehört sicher die Prozession zu Wasser über den Staffelsee.

▷ **Bayerische Impressionen**

Maibaum in Starnberg
Valentinsbrunnen in München
Bayer in zünftiger Tracht

▽ **Corpus Christi procession on Lake Staffel**

Corpus Christi processions are still very much a tradition in the Catholic areas of South Germany. One of the most magnificent is surely the boat procession on Lake Staffel.

▷ **Bavarian impressions**

Maypole in Starnberg
Valentin's Fountain in Munich
A Bavarian in full regional costume

▽ **Procession de la Fête-Dieu au Staffelsee**

Dans les régions catholiques d'Allemagne du Sud, des processions solennelles ont encore lieu le jour de la Fête-Dieu. L'une des plus imposantes est sans conteste la procession sur les eaux du Staffelsee.

▷ **Impressions bavaroises**

Arbre de mai à Starnberg
Fontaine de Karl Valentin à Munich
Bavarois en costume traditionnel

Maibaum, steh auf,
zum weißblauen Himmi
zoag nauf, daß in's zu
jeglicher Zeit, d'Hoamat
gedeiht!
1972

München

Münchenist die Stadt der Lieblingsplätze. Frag einen Deutschen, und er nennt dir seinen Lieblingsplatz in der bayerischen Hauptstadt, in der Weltstadt mit Herz, wie sie gern genannt wird.

Der eine freut sich schon tagelang, ehe er nach München reist, auf die Weiß- und Bratwürste, die er am Fuße der zweitürmigen Frauenkirche verspeisen wird, der andere denkt an die stillen Stunden, die er vor den großartigen Kunstwerken in der Alten Pinakothek verbringen will.

Die Theatinerkirche ist eine dieser Lieblingsstätten. Sie war der erste italienische Barockbau in Süddeutschland, in Auftrag gegeben im Jahre 1662 von der Kurfürstin Henriette Adelaide und ihrem Mann als Dank für die Geburt eines gesunden Knaben.

Und wer wird schon, wenn er einmal in München ist, auf einen Bummel über den Viktualienmarkt verzichten, wo es nicht allein ein riesiges Warenangebot gibt, sondern auch urige Händler und Marktfrauen.

Mönche sollen die ersten Siedler in der Münchner Gegend gewesen sein. Das berühmte Münchner Kindl im Wappen der Stadt stellt ein solches Mönchlein dar. Aber es war der Welfenherzog Heinrich

Munich

Munich is a city of favourite places. Ask any German, and he will immediately tell you his favourite place in the Bavarian capital – or the "metropolis with a heart", as it is sometimes called.

The one will look forward to eating sausages and drinking a glass of beer at one of the restaurants near the twin-towered Cathedral, the other can only think of the hours of quiet enjoyment he will spend in the Alte Pinakothek admiring the paintings of that famous collection.

The Theatinerkirche is another one of these favourite places. It was the first church to be built in the Italian baroque style in south Germany. The building was commissioned in 1662 by the Electress Henriette Adelaide out of gratitude for the birth of a healthy son.

And there cannot be many people who do not enjoy a stroll through Munich's Viktualienmarkt when in Munich. It is known not only for the huge range of wares on sale, but also for the lively characters of its stallholders and market women.

The first settlers in the Munich area are said to have been monks, and the famous "Munich Child" in the city's coat of arms represents such a monk. But it was the Guelph duke Henry the Lion who built a bridge across the Isar in 1158. And it was

Munich

Munich abonde en endroits charmants. Interrogé à son sujet, un Allemand vous indiquera sa place favorite dans la capitale de la Bavière, cette métropole qui a du cœur, comme on la qualifie volontiers.

L'un se réjouit pendant des jours avant d'aller à Munich à la pensée de déguster des saucisses blanches et des saucisses grillées au pied de la cathédrale, l'église Notre-Dame aux deux tours surmontées d'un bulbe; un autre songe aux heures paisibles qu'il passera à contempler des chefs-d'œuvre à la Vieille Pinacothèque.

L'église des Théatins est aussi un de ces endroits de prédilection. Ce fut la première église baroque en Allemagne du Sud. C'est l'électrice Henriette Adelaïde qui l'avait fait construire en 1662 en remerciement de l'héritier qu'elle avait mis au monde.

Et qui pourrait renoncer, une fois à Munich, à une promenade au Viktualienmarkt, le marché aux Victuailles, célèbre non seulement par l'abondance de son offre mais aussi par l'originalité de ses marchands et de ses marchandes.

Des moines auraient été les premiers à s'établir dans la région de Munich. Le célèbre «Münchner Kindl» dans le blason de la ville représente un de ces moinillons. Mais

◁ **München/Blick auf die Altstadt**
Michaelskirche, Alter Peter, Frauenkirche, Rathaus und Heiliggeistkirche (von links) versammeln sich zu einem Stadtbild, das seinesgleichen sucht.
▷▷ **Schleißheim/Neues Schloß**
Kurfürst Max Emanuel hatte die größte Schloßanlage Deutschlands geplant. Sie blieb unvollendet, doch zählt das Geschaffene zum Besten des deutschen Barock.

◁ **Munich/View of the Old Town**
Munich has long had a great attraction for creative artists. Looking at this view – with St. Michael's Church, St. Peter's Church tower, the Cathedral, Town Hall, and the Church of the Holy Spirit – it is not hard to understand why.
▷▷ **Schleissheim/The New Palace**
This palace counts as one of the finest baroque buildings in Germany.

◁ **Munich/Vue sur la vieille ville**
L'église St-Michel, le «Vieux Pierre», la cathédrale, l'hôtel de ville et l'église du St-Esprit (à partir de la gauche) donnent à Munich une physionomie sans pareille.
▷▷ **Schleissheim/Nouveau Château**
Ce château compte parmi les meilleurs représentants du baroque allemand.

der Löwe, der im Jahre 1158 eine Brücke über die Isar bauen ließ. Und von diesem Platz aus entwickelte sich die heutige „heimliche Hauptstadt der Deutschen", wie München gern und ohne politischen Hintergedanken genannt wird.

Die Stadt ist vor allem ein kulturelles Zentrum, mit ihren Theatern, mit ihren bedeutenden Kunstsammlungen, mit dem Künstlerviertel draußen in Schwabing, wo die Nächte im allgemeinen länger sind als die Tage.

Und nicht vergessen sollte man auch eines der größten deutschen Volksfeste, das seit Beginn des vorigen Jahrhunderts in München gefeiert wird: das Oktoberfest auf der Theresienwiese.

Wer über Münchens Grenzen hinausblickt, der wird das 2000jährige Augsburg entdecken. Es war die Stadt der Fugger, jener mächtigen Kaufleute, die dem Kaiser Geld liehen und dafür mit allerlei Rechten ausgestattet wurden. Die Fuggerei, eine zu Anfang des 16. Jahrhunderts erbaute Siedlung für sozial schlecht gestellte Bürger der Stadt, gibt es noch heute: Die Bewohner zahlen seit 1521 einen rheinischen Gulden Miete im Jahr. Das sind knapp zwei Mark.

this that led to the growth of the "secret capital of Germany", as Munich is often called – though without any political overtones, for the city is primarily a cultural centre: with its theatres, its important art collections, and its artists' quarter in Schwabing, where the nights often seem longer than the days.

And, of course, we must not forget what is, perhaps, the greatest German fair, which has been a tradition in Munich since the beginning of the last century: the annual Oktoberfest, or beer festival, as it is popularly called.

Only 35 miles to the west of Munich lies the city of Augsburg. With a history dating back 2,000 years, it is much older than Munich itself. It was the city of the Fuggers, a merchant family so rich that they were moneylenders to the emperor, for which they acquired all kinds of privileges. The Fuggerei, an estate built in 1516 for socially disadvantaged burghers, still exists today: the tenants pay a Rhenish guilder – about two Deutschmarks – in rent per annum.

c'est le Guelfe Henri le Lion qui, en 1158, a fait construire un pont au-dessus de l'Isar. Et c'est de là que tire son origine l'actuelle «capitale secrète de l'Allemagne» ainsi que l'on appelle volontiers et sans aucune arrière-pensée politique la ville de Munich.

La ville est avant tout un centre culturel avec ses théâtres, ses importantes collections d'art, son quartier d'artistes à Schwabing où les nuits sont généralement plus longues que les jours.

Et il ne faut également pas oublier une des plus grandes fêtes populaires allemandes que l'on célèbre depuis le début du siècle dernier à Munich: l'Oktoberfest (la fête d'octobre ou de la bière) sur l'immense prairie qu'est la Theresienwiese.

En regardant au-delà des frontières de Munich, on découvre Augsbourg, vieille de 2 000 ans. C'était la ville des Fugger, ces puissants négociants qui prêtaient de l'argent à l'empereur et recevaient en échange toutes sortes de droits. La Fuggerei, une cité construite au XVIᵉ siècle pour les citoyens pauvres de la ville, existe encore aujourd'hui: les habitants payent un loyer annuel d'un florin rhénan, soit à peine deux deutsche Mark.

▽ **München/Olympiagelände**
Im Jahre 1972 fanden in München die Olympischen Sommerspiele statt. Aufsehen erregte damals nicht nur in Fachkreisen die avantgardistische Zeltdachkonstruktion, die sich elegant über Stadion, Sport- und Schwimmhalle schwingt. Das Dach wird von bis zu 80 m hohen Trägern gehalten und ist mit licht-durchlässigen Acrylplatten ein-gedeckt.

▽ **Munich/Olympic Park**
The Olympic Games were held in Munich in the summer of 1972. The avant-garde tent-like roof construc-tion, which elegantly spans the stadium and the sports and swim-ming halls, caused considerable ex-citement at the time. The roof – of transluceat acrylic 'tiles' – covers an area of 76,000 sq m, and some of the supports are over 250 ft high.

▽ **Munich/Le parc olympique**
En 1972 ont eu lieu à Munich les jeux Olympiques d'été. Le toit avant-gardiste en forme de tente, qui recouvre élégamment le stade, le palais des sports et le stade nautique, a fait sensation à l'épo-que. Soutenu par des mâts de 51 à 80 mètres de haut, le toit est recou-vert de verre acrylique translucide.

München/Oktoberfest

Die erste „Wies'n" fand 1810 statt. Damals feierten die Münchner die Hochzeit des Kronprinzen und späteren Königs Ludwig I. mit der Prinzessin Therese von Sachsen-Hildburghausen. Bier floß damals noch nicht. Das hat sich inzwischen gründlich geändert: Die Festwirte schenken jedes Jahr weit über vier Millionen Liter Bier aus. Zum großen Durst gesellt sich der große Hunger. Eine Million Schweinswürstl, ebenso viele Brathendl und an die 30000 Schweinshaxen vertilgen die Wies'nbesucher aus aller Welt. Von den drei Dutzend Ochsen und Tausenden von Steckerlfischen gar nicht zu reden …

▽ Munich/Oktoberfest

The first Oktoberfest took place in 1810, in celebration of the marriage of the Crown Prince and later King Ludwig I and Princess Therese of Saxe-Hildburghausen. Beer was not a feature of the first Oktoberfest, but things have changed radically since then. Nowadays far more than four million litres of beer are drawn and drunk every year. This vast quantity of beer is used to wash down a million pork sausages, the same number of grilled chickens, and nearly 30,000 roast knuckles of pork consumed by visitors from all over the world.

▽ Munich/Fête de la bière

La première fête de la bière ou fête d'octobre eut lieu en 1810 à l'occasion du mariage du dauphin et futur roi Louis I avec la princesse Thérèse de Saxe-Hildburghausen. La bière ne coulait pas encore à l'époque mais cela a bien changé depuis: chaque année plus de quatre millions de litres de bière sont servis aux visiteurs du monde entier qui consomment également un million de saucisses, autant de poulets rôtis et dans les 30000 jarrets de porc.

Die Romantische Straße

Unvergessen ist Ludwig II. von Bayern, der als romantischer Märchenkönig in die Geschichte eingegangen ist, als Förderer der Kunst, der sich mit seiner Freundschaft zu Richard Wagner ein unvergängliches Denkmal setzte – in den von diesem Komponisten geschaffenen monumentalen Opern.

Seine besondere Liebe gehörte der Architektur, und überall im Land finden wir Burgen und Schlösser, die Ausdruck seines schwärmerischen Geistes sind. Das in seinem Auftrag errichtete Schloß Neuschwanstein bei Füssen gilt heute als eines der markantesten Symbole der deutschen Romantik. Und nicht von ungefähr liegt dieses prächtige Bauwerk mit seinen schlanken Türmen an einem der beiden Ausgangspunkte der Romantischen Straße, die – wenn man sie von Süden nach Norden abfährt – über Füssen, Schongau, Landsberg am Lech, Dinkelsbühl, Feuchtwangen und Rothenburg ob der Tauber nach Würzburg führt.

Das immer wieder die Phantasie der Menschen beschäftigende Neuschwanstein mit seinem prunkvollen Thronsaal erhebt sich im übrigen nicht allein in dieser Landschaft, die einen unvergeßlichen Blick auf die Alpen gewährt. Auf einem Berg gegenüber hatte schon

The Romantic Route

Ludwig II of Bavaria has gone down in history as the romantic fairytale king, as a patron of the arts, who, through his friendship with Richard Wagner, created a monument for himself in the great works of his composer friend. Apart from Wagner's music, Ludwig's greatest passion was building, and throughout Bavaria we find castles and palaces which reflect this aspect of his fervent spirit. Neuschwanstein Castle, near Füssen, built at his behest, is considered to be one of the most striking symbols of German romanticism. And it seems only fitting that this magnificent building, with its slim towers, should lie at the starting point of what is known as the Romantische Strasse, or Romantic Route, which, from south to north, runs from Füssen via Schongau, Landsberg on the Lech, Dinkelsbühl, Feuchtwangen, and Rothenburg ob der Tauber, to Würzburg. Neuschwanstein, with its magnificent Throne Room, has fascinated generations of visitors. It is not the only castle set in this region against the majestic panorama of the Alps. On another mountain close by is Hohenschwangau, the ancient castle of the Guelphs and Hohenstaufens – two once mighty ruling dynasties. Ludwig's father, Maximi-

La route romantique

C'est un personnage inoubliable que celui de Louis II de Bavière qui est entré dans l'histoire comme un roi romantique, un mécène et qui, par son amitié avec Richard Wagner, s'est élevé un monument éternel – dans les opéras de ce compositeur. Le roi aimait tout particulièrement l'architecture et partout dans le pays on trouve des châteaux qui sont l'expression de son esprit exalté. Le château de Neuschwanstein qu'il fit construire près de Füssen passe aujourd'hui pour un des symboles les plus marquants du romantisme allemand. Et ce n'est pas par hasard que cette somptueuse construction avec ses tours élancées se trouve à l'un des points de départ de la route romantique qui – si l'on va du Sud vers le Nord – conduit à Wurtzbourg en passant par Füssen, Schongau, Landsberg am Lech, Dinkelsbühl, Feuchtwangen et Rothenburg ob der Tauber.

Mais le Neuschwanstein qui, doté d'une somptueuse salle du trône, ne cesse d'exalter notre fantaisie, n'est pas le seul à se dresser dans ce paysage d'où l'on a une vue inoubliable sur les Alpes. En face de lui, sur un rocher, le roi de Bavière, Maximilien II, avait déjà fait construire – également au siècle dernier – le château de Hohenschwangau à partir d'un ancien château fort des Guel-

◁ **Osterseen/Starnberger See**
Die Münchner verlassen an schönen Tagen scharenweise die Stadt. Eines ihrer beliebten Ausflugsziele ist der Starnberger See, in dem der bayerische Monarch Ludwig II. am 13. Juni 1886 unter geheimnisvollen Umständen ertrank.
▷▷ **Füssen**
Füssen – ein Wintermärchen. Traumhaft schöne Stadt mit Türmen, Giebeln und Toren inmitten weißer Winterlandschaft.

◁ **The Oster Lakes/Lake Starnberg**
It was in Lake Starnberg that the Bavarian King, Ludwig II, drowned in mysterious circumstances on 13th June 1886.
▷▷ **Füssen**
The town of Füssen, with its towers, turrets, and gables, rises like a fairytale city above the river in this shimmering winter landscape.

◁ **Osterseen/Lac de Starnberg**
Près de Munich se trouve le lac de Starnberg dans lequel le roi Louis II de Bavière s'est noyé, le 13 juin 1886, dans des conditions mystérieuses.
▷▷ **Füssen**
Füssen – un conte d'hiver. Une ville de rêve avec ses tours, ses pignons et ses portes au milieu d'un paysage hivernal.

61

der Bayernkönig Max II. – ebenfalls im vorigen Jahrhundert – aus der alten Burg der Welfen und Staufer, zweier mächtiger Herrschergeschlechter, das Schloß Hohenschwangau erbauen lassen.

Auf Romantik trifft man in diesem Land, wohin man auch kommt. Und eines der schönsten Beispiele sakraler Baukunst finden wir in Steingaden. Dort steht, von Wäldern umrahmt, im Hochmoor des Voralpenlandes die Wieskirche.

Ihre Entstehung geht auf eine wundertätige Statue Christi zurück, die von einem Laienbruder im Jahre 1730 geschnitzt und wegen ihres kunstlosen Ausdrucks schon nach wenigen Jahren nicht mehr beachtet wurde. Sie kam auf rätselhafte Weise auf den einsamen Hof des Bauern Martin Lori. Der Hof lag „in der Wies". Und dort geschah das Wunder – die Eheleute Lori haben's unter Eid erzählt: Am 14. Juni 1738 soll die Statue Tränen vergossen haben.

Die Geschichte wurde publik, der einsame Hof zum Wallfahrtsort. Im Jahre 1740 wurde eine Kapelle erbaut, die sich aber bald als zu klein erwies.

Da faßte der zuständige Abt Hyazinth Gaßner aus Steingaden den Entschluß, eine Kirche bauen zu lassen. Und kein Geringerer als der

lian II, acquired it in the 1830's, converting it into a romantic palace. This region is rich in romance and architectural gems. One of the finest examples of ecclesiastical buildings is to be found near Steingaden (which itself can boast a magnificent church): the "Wies" Church, set in a varied landscape in the foothills of the Alps, surrounded by moorland and woods. Its origins go back to a miraculous statue of Christ, carved by a lay brother in 1730. The carving was considered mediocre, and after a while ended up in a farmhouse belonging to a peasant called Martin Lori. His farm was situated "in der Wies" (in the meadow). And it was there that the miracle occured which was testified to under oath by Lori and his wife: on 14th June 1738 the statue shed tears.

The story got around, and the lonely farmstead became a place of pilgrimage. A chapel was built to house the statue in 1740, but it soon proved too small.

Abbot Hyazinth Gassner of Steingaden thereupon decided to have a church built, and no less an architect than the great Dominikus Zimmermann (1685–1766) was chosen for the work. His brother, Johann Baptist Zimmermann, Court Painter and Stuccoer, created the

fes et des Hohenstaufen, deux puissantes dynasties.

Dans cette région, le romantisme se rencontre à chaque pas. Et un des plus beaux exemples d'architecture sacrée se trouve à Steingaden. C'est là que se situe l'église de pèlerinage de la Wies sur une prairie entourée de bois. Sa création remonte à une statue miraculeuse du Christ qui, sculptée en 1730 par un frère convers, avait été reléguée quelques années plus tard parce qu'elle manquait d'expression artistique. Elle parvint de façon mystérieuse dans la ferme isolée d'un paysan nommé Martin Lori. La ferme se trouvait «dans la Wies». Et c'est là qu'eut lieu le miracle que les époux Lori racontèrent sous la foi du serment: le 14 juin 1738, la statue avait versé des larmes.

L'histoire se sut, la ferme solitaire devint un lieu de pèlerinage. En 1740, une chapelle fut construite qui se révéla bientôt trop petite.

Le père abbé des Prémontrés de Steingaden, Hyacinthe Gassner, décida alors de faire construire une église. Et c'est au grand architecte Dominique Zimmermann qu'il confia cette tâche. Le peintre et stucateur de la cour, Johann Baptist Zimmermann, fut chargé de la merveilleuse décoration intérieure à l'exubérance baroque.

▷ **Schloß Neuschwanstein**
Phantastischer Traum eines Musikgenies und seines Königs von deutscher Vergangenheit: Schloß Neuschwanstein, romantische Transposition der Wartburg in die stille, atemberaubende Voralpenlandschaft. In den Gemächern prachtvolle Gemälde aus dem „Parsifal" und dem „Tristan" – den germanischen Heldenepen und großen Wagneropern.

▷ **Neuschwanstein Castle**
The fantastic vision of the German past dreamed up by a musical genius and his king: Neuschwanstein Castle, a romantic transposition of that archetypal German castle, Wartburg, into the quiet, breathtaking beauty of the Alpine foothills. The interior is hung with paintings depicting scenes from "Parsifal" and "Tristan" – the Germanic epics and Wagnerian operas.

▷ **Château de Neuschwanstein**
Rêve fantastique d'un passé allemand d'un génie de la musique et de son roi: le château de Neuschwanstein. Dans les appartements royaux, de somptueuses peintures ayant trait à «Parsifal» et à «Tristan» – les épopées héroïques germaniques et grands opéras de Wagner.

große Baumeister Dominikus Zimmermann (1685 bis 1766) wurde mit diesem Werk betraut. Für die wundervolle Innenausstattung, geschaffen im Überschwang des Barock, wurde der Hofmaler und -stukkateur Johann Baptist Zimmermann (1680–1758) gewonnen. Die Wieskirche, ein Sinnbild der harmonischen Einheit von Theologie und Kunst, von himmlischer und irdischer Herrlichkeit, sollte im Jahre 1803, in der Zeit der Säkularisation, auf Geheiß der Regierung in München abgebrochen werden. Doch die Bauern der Umgebung verhinderten das.

Über Schongau führt die Romantische Straße weiter, berührt – mit einem Bogen – Altenstadt. Und während wir noch überlegen, ob wir den weiter östlich liegenden Ammersee besuchen sollen, mit einem Abstecher vielleicht nach Kloster Andechs, wo ein so gutes Bier gebraut wird, da sind wir schon in Landsberg am Lech, dessen Ufer zu lohnenswerten Spaziergängen einladen.

Es ist eine Stadt, die zum Verweilen auffordert, des alten Rathauses mit seiner prächtigen Fassade wegen, in dem ein Bild des Ignatius Kögler hängt, der im Jahre 1680 in Landsberg geboren wurde und später am kaiserlichen Hof in Peking „Man-

wonderful, exuberantly baroque interior.

The Wies Church, a symbol of the harmonious unity of theology and art, of heavenly and earthly splendour, was supposed to be demolished in 1803 on orders of the government in Munich as part of the secularization process. But the local peasants succeeded in saving this unique architectural gem.

The Romantic Route takes us on via Schongau, making a loop to include Altenstadt. And while we are wondering whether to visit Lake Ammer further over to the east, with, possibly, a short stop at Andechs Monastery to taste the famous beer brewed there, we have already arrived at Landsberg on the River Lech, whose banks provide tempting opportunities for walks.

It is a town hard to leave, because there is so much to see. The Town Hall, for example, with its magnificent façade, another Dominikus Zimmermann building. Inside there is a portrait of Ignatius Kögler, who was born in Landsberg in 1680 and later became the "Mandarin of the Astronomical Tribunal" at the imperial court in Peking. Then there are the picturesque old streets, the squares, churches, and the old fortifications.

Further along the route we find

L'église de la Wies, symbole de l'unité harmonieuse entre la théologie et l'art, d'une beauté céleste et terrestre, aurait dû être démolie en 1803, à l'époque de la sécularisation, sur ordre du gouvernement de Munich. Mais les paysans des environs empêchèrent ce sacrilège.

La route romantique mène ensuite à Schongau, touche, d'une boucle, le petit village d'Altenstadt. Et pendant que nous réfléchissons si nous devons visiter l'Ammersee, situé plus à l'est et peut-être faire un crochet jusqu'au monastère d'Andechs, où l'on brasse de la si bonne bière, nous voilà déjà à Landsberg am Lech dont les rives nous invitent à d'agréables promenades.

C'est une ville où l'on a envie de s'arrêter, à cause du vieil hôtel de ville, à la merveilleuse façade, qui renferme un portrait d'Ignatius Kögler, né en 1680 à Landsberg et qui devint plus tard «mandarin du tribunal astronomique» à la cour impériale à Pékin. Mais aussi à cause de ses vieilles ruelles, de ses places, de ses églises et des fortifications d'une époque révolue.

Plus que d'autres villes, Nördlingen a gardé son cachet moyenâgeux. Le soir, la curiosité du visiteur y est éveillée par l'appel que lance toutes les demi-heures, de 22 heures à minuit, un guetteur du haut de la tour

▷ **Steingaden/Wieskirche**
Von außen wirkt sie eher schlicht. Wer jedoch das Kircheninnere betritt, der wird geblendet sein von der Fülle des Lichts und der Festlichkeit dieses fast überirdisch schönen Raumes. Die Kunst des Rokoko, die bestrebt war, Architektur nahezu schwerelos erscheinen zu lassen, Malerei in Plastik und Plastik in Malerei zu verwandeln, hat hier ihren vollkommensten Ausdruck erhalten.

▷ **Steingaden/Wieskirche**
On entering, the visitor is dazzled by the radiant beauty of this almost celestially lovely interior. Rococo art, which aimed at achieving nearly weightless-seeming architecture, and at transposing sculpture into painting and painting into sculpture, found its most perfect expression in this church.

▷ **Steingaden/Eglise de la Wies**
L'intérieur de l'église éblouit par l'abondance de sa lumière, de sa décoration et de sa beauté presque surnaturelle. L'art du rococo, qui s'efforçait de donner à l'architecture des formes quasi aériennes, de transformer la peinture en sculpture et la sculpture en peinture, trouve ici son expression la plus parfaite.

darin des astronomischen Tribunals" war. Aber auch der alten Gassen wegen, der Plätze, der Kirchen und der Befestigungsanlagen aus vergangenen Tagen.

Mehr noch als andere Städte hat Nördlingen sein mittelalterliches Stadtbild bewahrt. Wer dort zu Gast ist, der fragt zunächst nach dem Rufe des Wachbruders auf dem Turm, der auf den schönen Namen Daniel hört. Alle halbe Stunde – zwischen 22 und 24 Uhr – ertönt ein „So, Gsell, so …!" Damit erinnern die Nördlinger an eine wackere Lohgerbersfrau, die in einer Januarnacht des Jahres 1440 bei einem abendlichen Spaziergang durch das Grunzen eines Schweines auf das nur angelehnte Stadttor aufmerksam wurde. Die Sache war ihr nicht geheuer. Sie schlug Alarm. Und in der Tat, der Graf von Oettingen hatte einen Torwächter bestochen, ihm das Tor zu öffnen, damit er ungehindert in Nördlingen eindringen und die Stadt plündern könne.

Türme und Mauern, dahinter die roten Dächer einer Stadt, künden schon von weitem, daß sich der Tourist dem romantischen Dinkelsbühl nähert. Hier sollte er ein Weilchen bleiben; denn Dinkelsbühl gehört zu den schönsten deutschen mittelalterlichen Städten. Und wer

Nördlingen, which has preserved much of its medieval character. The town retains a watchman on a spire that answers to the charming name of Daniel. His duties include calling out the half hours between 10 p.m. and midnight. The tradition recalls an incident when, in a January night of 1440, a tanner's wife noticed that the town gate was ajar. She sounded the alarm, and it transpired that the Count of Oettingen had bribed a guard to leave the gate open so that he might enter the town with his men and plunder it.

No one could say that Nördlingen is situated on the moon – but, the fact is, that in 1970 the Apollo-14 crew did their practical geological training in the Nördlingen Basin – the largest meteorite crater in the world. One type of rock present in the crater is also found on the moon.

From afar the tourist can see the towers and walls, with red roofs of houses rising behind them, which tell him he is approaching the romantic town of Dinkelsbühl. He should plan to spend some time here, because it is one of Germany's finest medieval towns. And anyone lucky enough to be here in mid July should not miss the Children's Festival called the Kinderzeche.

The Kinderzeche is a fair and festi-

qui porte le joli nom de Daniel. Les habitants de Nördlingen commémorent ainsi le souvenir d'une courageuse femme de tanneur qui, en se promenant, une nuit de janvier 1440, remarqua que la porte de la ville n'était pas fermée, ce qui ne lui dit rien qui vaille. Elle sonna l'alarme et elle fit bien car le comte d'Oettingen avait soudoyé une sentinelle pour pouvoir mettre la ville à sac.

C'est dans les environs de Nördlingen qu'en 1970, au milieu du bassin du Ries, eut lieu l'entraînement géologique sur le terrain de l'équipe américaine d'Apollo 14. Le bassin du Ries est le plus grand cratère de météorite de la terre. Une des roches que l'on y trouve se rencontre également sur la lune.

Des tours et des murs ainsi que les toits rouges d'une ville annoncent de loin que l'on s'approche de la cité romantique de Dinkelsbühl où l'on fera bien de s'attarder car Dinkelsbühl fait partie des plus jolies villes médiévales d'Allemagne. Et le touriste qui se trouve dans ses environs à la mi-juillet ne devra pas manquer la fête populaire dite Kinderzeche. Les festivités auxquelles elle donne lieu rappellent un épisode de la guerre de trente ans dont toute l'Allemagne fut le théâtre de 1618 à 1648. En 1632, ce fut le tour de

▷ **Dinkelsbühl im Winter**
Die tausendjährige Stadt, in der Stauferzeit Schnittpunkt des Italienwegs und der Ostlandstraße, verdankt dieser günstigen Lage ihren Aufstieg. Aus dem Reichtum haben Patrizier und Bürger ein mittelalterliches Kleinod geschaffen, dessen Fachwerkschönheit fast unberührt geblieben ist. Die Stadtmauern Dinkelsbühls bewahren aber auch ein Meisterwerk gotischer Baukunst: die Hallenkirche St. Georg mit dem mächtigen Langhaus (Bildmitte).

▷ **Dinkelsbühl in winter**
This town with its thousand years of history, cannot only boast many half-timbered houses, but also a Gothic architectural masterpiece: the hall church of St. George, with its impressive nave and aisles (centre of picture).

▷ **Dinkelsbühl en hiver**
Les murs d'enceinte de la ville millénaire de Dinkelsbühl conservent bien des maisons à colombages, mais également un chef-d'œuvre de l'architecture gothique: l'église-halle de St-Georges avec l'imposante nef (au milieu).

nun gar Mitte Juli in der Nähe ist, der sollte sich die Kinderzeche nicht entgehen lassen.

Das ist ein Volksfest mit einem Festspiel aus der Zeit des Dreißigjährigen Krieges, der von 1618 bis 1648 ganz Deutschland mit seinen Schrecken überzog. Damals, im Jahre 1632, wurde Dinkelsbühl von den Schweden belagert, die fest entschlossen waren, den Ort zu plündern. Da zogen die Kinder der Stadt dem Schwedenführer entgegen, und das Herz des hartgesottenen Kriegsmannes wurde weich. Er verschonte die Stadt und ihre Bewohner.

Auch aus dem nahen Rothenburg ob der Tauber, dessen Name als romantisches mittelalterliches Städtchen in der ganzen Welt zu einem Begriff geworden ist, wird aus der Zeit des Dreißigjährigen Krieges eine Geschichte überliefert: Der Feldmarschall Tilly, ein harter Mann, hatte die Stadt erobert. Er versprach, sie zu schonen, wenn einer der Ratsherren in der Lage wäre, einen Riesenhumpen mit rund 3¼ Liter Wein in einem Zug zu leeren. Der Altbürgermeister Nusch versuchte sein Glück, und – es gelang. Die Stadt war gerettet.

Am Ende der Romantischen Straße liegt Würzburg, eine im Zweiten Weltkrieg schwer geprüfte Stadt,

val at which the main event is a pageant commemorating an incident in the Thirty Years' War, which devastated large parts of Germany in the years 1618–1648. In 1632, the Swedish army besieged Dinkelsbühl, intent on plunder. But the town children marched out to plead with the Swedish commander. The general's heart was softened, and the town was spared. Nearby Rothenburg ob der Tauber, which has become known throughout the world as a near-perfect example of a romantic, medieval town, also remembers an incident that took place in the Thirty Years' War. Field Marshal Tilly, a tough soldier, had conquered the town. He promised to spare it if one of the town councillors proved capable of draining a huge tankard of wine in one draught. A former mayor called Nusch tried his luck – and succeeded, to his own surprise. The town was saved.

The Romantic Route ends in Würzburg. The city was badly damaged in the Second World War, but nevertheless has a lot to offer: the magnificent museum in Marienberg Fortress, where the visitor can see, in particular, many works by the sculptor Tilman Riemenschneider; the romantic taverns, where the Franconian wines seem to taste

Dinkelsbühl d'être assiégée par les Suédois fermement décidés à piller la ville. Les enfants s'en allèrent alors au devant du chef des Suédois et le guerrier endurci se laissa attendrir à leur vue. Il épargna la ville et ses habitants.

La ville voisine de Rothenburg ob der Tauber, dont le nom évoque dans le monde entier l'image d'une petite ville romantique et médiévale, a également un épisode de son histoire qui se rattache à la guerre de trente ans: le farouche feld-maréchal Tilly avait conquis la ville. Mais il promit de ne pas la mettre à sac si un des conseillers municipaux réussissait à vider d'un trait un hanap de vin. L'ancien bourgmestre Nusch tenta sa chance et il parvint à boire le contenu du vase gigantesque. La ville était sauvée.

A la fin de la route romantique se trouve Wurtzbourg, une ville qui a beaucoup souffert pendant la deuxième guerre mondiale mais dont certains édifices ont pu être restaurés: le merveilleux musée dans l'ancienne citadelle de Marienberg où le visiteur peut admirer les œuvres du sculpteur Tilman Riemenschneider, les tavernes romantiques où le vin franconien semble particulièrement bon à boire ou le petit jardin appelé Lusamgärtlein dans le cloître de l'abbaye de Neu-

die aber dennoch so manches bewahrt hat: das großartige Museum auf der Festung Marienberg, wo der Besucher intensive Bekanntschaft schließt mit dem Bildhauer Tilman Riemenschneider, die romantischen Höfe, in denen der fränkische Wein besonders gut schmeckt, oder jenen stillen Winkel im Kreuzgang des Stiftes Neumünster, das sogenannte Lusamgärtlein, wo das Grab des mittelalterlichen deutschen Lyrikers Walther von der Vogelweide liegen soll. Er ist schon um 1230 gestorben, doch bis auf den heutigen Tag legen junge Leute rote Rosen auf seinen Grabstein.

even better than usual; or that quiet corner of the Romanesque cloisters in Neumünster Church, called the Lusam Garden, where the grave of the German medieval lyric poet Walther von der Vogelweide is supposed to be. He died in 1230, but young people still place red roses on his gravestone.

münster où se trouverait le tombeau du troubadour allemand Walther von der Vogelweide. Bien qu'il soit mort en 1230, sa tombe se trouve aujourd'hui encore fleurie de roses rouges par des jeunes gens.

▷ **Würzburg/Blick auf die Festung Marienberg**
Gottfried von Viterbo lobte Würzburg bereits im 12. Jahrhundert in den höchsten Tönen: „Herrlich ist diese Lage, wunderschön erschien sie mir – im Tal eingeschnitten liegt die Stadt da wie ein irdisches Paradies!" Inzwischen hat Würzburg viel erdulden müssen, doch unangetastet blieb der harmonische Dreiklang von Fluß, Brücke und Festung, eingebettet in eine anmutige Wald- und Rebenlandschaft.

▷ **Würzburg/View of Marienberg Fortress**
Würzburg was highly praised already in the 12th century, by Gottfried von Viterbo: "The situation is magnificent; it seemed quite wonderful to me – the town lies there in the valley like an earthly paradise!"

▷ **Wurtzbourg/Vue sur la citadelle de Marienberg**
Dès le XIIᵉ siècle, Gottfried von Viterbo faisait le plus grand éloge de Wurtzbourg: «Cette situation est merveilleuse, elle m'a paru magnifique – encaissée dans la vallée, la ville est telle un paradis terrestre!»

◁ **Würzburg/Alte Mainbrücke**
Auf der alten Brückenstraße gelangt der Besucher, sicher geleitet von zwölf Sandsteinheiligen in wallenden Gewändern, mitten in das historische Zentrum der alten Bischofsstadt mit dem romanischen Dom.

◁ **Würzburg/The Old Main Bridge**
By crossing the old bridge, the visitor, accompanied by twelve sandstone sculptures of saints in flowing robes, arrives right in the middle of the old city with its Romanesque cathedral.

◁ **Wurtzbourg/Alte Mainbrücke**
En prenant la vieille route du pont, le visiteur arrive, après avoir passé devant douze statues en grès vêtues de longs vêtements flottants, au cœur du centre historique de l'ancienne cité épiscopale avec sa cathédrale romane.

▽ Schloß Veitshöchheim

Kokette Rokokofiguren, beschauliche Heckengänge, verspielte Fontänen und Pavillons, so verschwenderisch gestaltet ist der Garten, der das barocke Sommerschloß der würzburgischen Fürstbischöfe umgrünt. Und im Großen See, dem Herzstück des Parks, schwingt sich das Dichterroß Pegasus über dem Parnaß, dem Reich der Musen, in die Lüfte.

▽ Veitshöchheim Palace

The garden surrounding the baroque summer palace built by the prince bishops of Würzburg is full of coquettish rococo statues, bowered walks, delightful fountains, and pavilions. And in the lake, which forms the heart of the park, the winged horse Pegasus rises above Parnassus, the home of the Muses.

▽ Château de Veitshöchheim

De gracieuses sculptures rococo, de paisibles sentiers bordés de haies, de ravissantes fontaines et de coquets pavillons décorent le jardin qui entoure le château baroque, ancienne résidence d'été des princesévêques de Wurtzbourg. Et, dans le grand lac, au cœur du parc, Pégase s'élance dans les airs au-dessus du Parnasse, le royaume des Muses.

Bayerischer Wald

Im Jahre 1135 begannen die Regensburger mit dem Bau einer steinernen Brücke über die Donau. Und weil Bauarbeiter auch damals schon einen stets guten Appetit hatten, wurde eine Imbißstube eingerichtet, eine Wurstküche, in der sie sich stärken konnten.

Die Steinerne Brücke schwingt sich noch heute über die Donau. Sie gilt als eine der größten technischen Leistungen des Mittelalters. Auch die Wurstküche existiert noch. Und wer dort keine Bratwurst gegessen hat, der ist nicht in Regensburg gewesen.

Die Stadt, die einst den Kaisern des Heiligen Römischen Reiches Deutscher Nation als Schauplatz für ihre großen Reichstage diente, ist ein Juwel, und schon allein der Dom ist sehenswert, der mit seinen beiden 105 Meter hohen Türmen zu den schönsten Bauwerken der deutschen Gotik zählt.

Auf eine lange Geschichte zurückblicken kann Passau, an den Flüssen Donau, Inn und Ilz gelegen, das schon vor etwa 2500 Jahren eine Siedlung der Kelten war und später – noch vor der Zeitenwende – von den Römern erobert und zu einem Kastell ausgebaut wurde. Die Stadt mit ihrem italienischen Gepräge ist von hohem städtebaulichen Rang, besonders beeindruckend der Dom

The Bavarian Forest

In 1135 the people of Regensburg began building a stone bridge across the Danube. And because builders were blessed with healthy appetites in those days, too, a snack bar specializing in pork sausages, was set up next to the bridge.

The stone bridge still elegantly spans the river. It is considered to be one of the greatest technical achievements of the Middle Ages. And the sausage bar also still exists – and if you have not eaten a grilled sausage there, you cannot really say that you have been to Regensburg. The city, which was once the venue of great Imperial Diets organized by the Holy Roman Emperors, is a gem. The tall, twin-towered Cathedral alone, one of the greatest Gothic buildings in Germany, is worth a detour.

The history of Passau, situated at the confluence of the three rivers Danube, Inn, and Ilz, began 2,500 years ago when Celts settled there. Later it was conquered by the Romans and made into a fort. Modern Passau is a fine city with an Italianate flair and with a particularly impressive cathedral, St. Stephen's. The previous church on the same site dated back to the beginning of the 6th century.

The popular holiday region called the Bavarian Forest is within easy

La Forêt Bavaroise

En 1135, les habitants de Ratisbonne commencèrent la construction d'un pont de pierre au-dessus du Danube. Et comme les ouvriers du bâtiment étaient dotés, la fois-là également, d'un solide appétit, on aménagea une rôtisserie (Wurstküche) où ils pouvaient se restaurer. Le pont de pierre enjambe aujourd'hui encore le Danube et passe pour une des plus grandes réalisations techniques du moyen âge. La rôtisserie, elle aussi, existe toujours et qui n'y a pas mangé des saucisses grillées ne peut dire qu'il a été à Ratisbonne.

La ville où se tenait autrefois la diète permanente du Saint Empire romain germanique est un joyau. Rien que la cathédrale avec ses deux tours de 105 mètres de haut et qui compte parmi les plus beaux édifices gothiques allemands vaut un détour.

Passau, située au confluent du Danube, de l'Inn et de l'Ilz, a une longue histoire. Il y a 2 500 ans en effet c'était une colonie celte qui fut conquise par la suite par les Romains qui en firent un castel. La ville au cachet italien renferme des édifices très intéressants et en particulier une cathédrale impressionnante consacrée à saint Etienne et à l'emplacement de laquelle il y aurait déjà eu une église au VIᵉ siècle.

◁ **Regensburg/Steinerne Brücke und Dom**
„Regensburg liegt gar schön, die Lage mußte eine Stadt herlocken", schrieb einst Johann Wolfgang von Goethe.
▷▷ **Passau/Panorama mit Dom St. Stephan**
Die Geschichte der Dreiflüssestadt ist eng verknüpft mit der bischöflichen Herrschaft, die Bonifatius 739 begründet hatte.

◁ **Regensburg/The Stone Bridge and the Cathedral**
"The location is so beautiful that it was bound to attract a town", wrote Goethe of Regensburg.
▷▷ **Passau/Panorama with St. Stephen's Cathedral**
The history of the "three-river town" is closely connected with that of the bishopric, founded by Boniface in 739.

◁ **Ratisbonne/Pont de pierre et cathédrale**
«Ratisbonne est fort bien située, l'emplacement devait attirer une ville» écrivit un jour Gœthe.
▷▷ **Passau/Panorama avec la cathédrale St-Etienne**
L'histoire de la ville, située au confluent de trois cours d'eau, est étroitement liée à l'évêché souverain créé par Boniface en 739.

St. Stephan, der mit rund 16 000 Pfeifen die größte Kirchenorgel der Welt beherbergt und von dem es heißt, er habe bereits zu Beginn des 6. Jahrhunderts einen Vorgängerbau gehabt.

Zu den gern besuchten Feriengebieten zählt der Bayerische Wald, der von Regensburg wie auch von Passau aus schnell zu erreichen ist.

Es ist ein großes Waldgebiet mit einsamen Wegen, auf denen man stundenlang wandern kann, mit kleinen Dörfern und Städten, in denen der Fremde überaus gastfreundliche Menschen trifft.

Da wird noch altes Handwerk in Ehren gehalten. Die Holzbitzler stellen, wie in früheren Zeiten, Holzschuhe und allerlei Küchengeräte her. In der Gegend um Zwiesel sind die Glasbläser zu Hause. Auch altes Brauchtum wird gehegt und gepflegt im Bayerischen Wald. In Perlesreut bei Grafenau wird in jedem Jahr das Schmalzlerfest gefeiert, bei dem sich die Waldler im edlen Wettstreit den Schnupftabak in die Nase reiben. Und nirgends auf der Welt gibt es so schöne Schnupftabakdosen und -fläschchen wie hierzulande.

reach of both Regensburg and Passau. It is heavily wooded, as its name suggests, ideal for long healthy walks, and dotted with villages and small towns well-known for their hospitality.

Here traditional crafts are still pursued. Woodworkers still make clogs and a range of kitchen implements, and around Zwiesel, the glassblowers live. Old customs are also still practised. In Perlesreut near Grafenau, for example, there is a snuff festival every year in which the woodsmen compete with one another in the art of snuff taking. And nowhere can you buy such lovely snuff-boxes and phials as here in the Bavarian Forest.

La Forêt Bavaroise que l'on atteint très vite, aussi bien de Ratisbonne que de Passau, est un endroit de villégiature très fréquenté. C'est une grande étendue de forêts parcourue de chemins solitaires où l'on peut se promener pendant des heures, avec des villages et de petites villes très hospitaliers.

L'artisanat y est encore à l'honneur. On y fabrique comme autrefois des sabots et des ustensiles de cuisine en bois. La région de Zwiesel est le domaine des souffleurs de verre. Les vieilles traditions y sont aussi entretenues. A Perlesreut près de Grafenau, il y a ainsi chaque année la fête des priseurs au cours de laquelle les forestiers prisent à qui mieux mieux. Et nulle part ailleurs dans le monde, il n'y a des tabatières et de petits flacons à priser aussi jolis.

◁ **Rachelsee mit Großem Rachel**
Inmitten des Nationalparks Bayerischer Wald schlummert, umstanden von tannendunklen Wäldern, der Rachelsee, ein beliebtes Ziel von Wanderern, die der Hektik des Großstadtbetriebs die Stille und Abgeschiedenheit dieses wilden Waldgebirges vorziehen.

◁ **Lake Rachel with Grosser Rachel**
In the middle of the Bavarian Forest national park, surrounded by dark fir forests, slumbers Lake Rachel, a popular retreat for hikers seeking tranquillity rather than the hectic amusements of the city.

◁ **Le Rachelsee avec le Grand Rachel**
Le lac, entouré de forêts de sapins, se trouve au milieu du parc national de la Forêt Bavaroise. C'est un but d'excursion pour les randonneurs qui, à l'animation des grandes villes, préfèrent la solitude de cette région de montagnes boisées au charme sauvage.

▽ **Regen**

Die schmucke Kleinstadt ist zu einem bevorzugten Fremdenverkehrsort im Herzen des Bayerischen Waldes geworden. Einen Besuch lohnt die Stadtkirche St. Michael mit dem wuchtigen romanischen Nordturm und der schönen Madonnenfigur aus spätgotischer Zeit.

▽ **Regen**

This attractive little town in the heart of the Bavarian Forest has become a popular holiday resort. The main church, St. Michael's, with its massive Romanesque tower and its fine late-Gothic madonna statue is well worth a visit.

▽ **Regen**

Cette ravissante petite ville est devenue un centre touristique de prédilection au cœur de la Forêt Bavaroise. Il faut visiter son église consacrée à saint Michel avec son imposante tour nord romane et sa belle statue de la Vierge de style gothique tardif.

▷ **Auf dem Großen Arber**

Gebieterisch reckt sich der Große Arber über den weitläufigen Höhenzügen des Bayerischen Waldes. Bis weit in die Neuzeit hinein verlief übrigens die Grenze zwischen Bayern und Böhmen mitten über diesen Berg. Die Randlage ist ihm erhalten geblieben, denn nur einen Steinwurf entfernt erstreckt sich heute die deutsch-tschechische Grenze.

▷ **On Grosser Arber**

Grosser Arber is the highest mountain in the Bavarian Forest, and provides a fine view of the whole range. For a long time the border between Bavaria and Bohemia ran across this mountain. It is still a border mountain, for the German-Czechoslovakian frontier is only a stone's throw away.

▷ **Sur le Grand Arber**

Le Grand Arber se dresse au-dessus de la chaîne des montagnes de la Forêt Bavaroise. Pendant longtemps la frontière entre la Bavière et la Bohême s'est située au milieu de cette montagne qui a d'ailleurs gardé cette situation limitrophe puisque la frontière germano-tchèque n'en est qu'à deux pas.

Franken

Alljährlich zur Weihnachtszeit ist die tausendjährige Handelsstadt Nürnberg ein bevorzugtes Reiseziel. Denn dann findet in der historischen Altstadt der Christkindlmarkt statt, auf dem es Lebkuchen und Bratwürste, die berühmten Nürnberger Spezialitäten, zu essen gibt. Eltern schauen sich um nach Spielzeug für ihre Kinder, das in und um Nürnberg hergestellt wird.
Die fränkische Metropole ist eine Stadt, zu deren freundlichsten Sehenswürdigkeiten das Spielzeugmuseum gehört, die größte Sammlung dieser Art in der Welt. Eindrucksvoll erhebt sich die mittelalterliche Burg über der alten Stadt. Fast alle Kaiser und Könige des Deutschen Reiches aus der Zeit zwischen 1050 und 1571 haben dort residiert. Nicht weit von der Burg steht das Dürerhaus, in dem der Maler Albrecht Dürer, einer der Großen in der europäischen Kunstarena, von 1471 bis 1528 gelebt hat. Zu seinen Zeitgenossen gehörten der Bildhauer Veit Stoß (1445 bis 1533) und der Schuhmacher und bedeutende Poet Hans Sachs (1494 bis 1576).
Das romantische Nürnberg ist aber nur eine von vielen fränkischen Städten, die einen Besuch lohnen. Von Würzburg an der Romantischen Straße war schon die Rede,

Franconia

The thousand-year-old commercial city of Nuremberg attracts even more visitors than usual in December. They come to the Christmas Market in the historical centre of the town, where you can buy Christmas tree decorations, eat grilled sausages or try the Lebkuchen – a kind of spiced biscuit – both of which are famous Nuremberg specialities. Parents look around for toys for their children – for toys are another Nuremberg speciality, and are manufactured in large quantities in and around the city. One of Nuremberg's most charming sights is the Toy Museum, the largest collection of its kind in the world. The medieval castle rises impressively above the old city. Almost all the German emperors and kings of the Holy Roman Empire resided here between 1050 and 1571. Not far from the castle is the Dürer House in which the painter Albrecht Dürer, one of the great European artists, lived from 1471 to 1528. Two of his contemporaries in Nuremberg were the sculptor Veit Stoss (1445–1533) and the shoemaker and poet Hans Sachs (1494–1576).
But romantic Nuremberg is only one of the many Franconian towns worth visiting. We have already mentioned Würzburg, at the north

Franconie

Chaque année, au mois de décembre, la ville commerçante, millénaire de Nuremberg attire une foule de visiteurs. C'est l'époque du marché de Noël qui se tient dans la partie historique de la ville ancienne et où l'on peut déguster des pains d'épice et des saucisses grillées, les célèbres spécialités de Nuremberg. Les parents eux y choisissent pour leurs enfants des jouets fabriqués dans la capitale franconienne et ses environs.
Nuremberg est une ville de jouets qui compte parmi ses plus charmantes curiosités un musée du Jouet, la plus grande collection de ce genre dans le monde.
Le château médiéval s'élève de façon majestueuse au-dessus du vieux Nuremberg. Presque tous les empereurs et rois allemands y ont séjourné entre 1050 et 1571. Non loin du château impérial se trouve la maison d'Albrecht Dürer. Celui qui fut l'un des plus grands artistes d'Europe y a vécu de 1471 à 1528. Il eut parmi ses contemporains le sculpteur Wit Stwosz (1445 à 1533) et le cordonnier et grand poète Hans Sachs (1494 à 1576).
Le Nuremberg romantique n'est toutefois qu'une des nombreuses villes franconiennes qui valent une visite. Nous avons déjà mentionné Wurtzbourg sur la route romanti-

◁ **Nürnberg/Am Henkersteg**
Melanchthon, der berühmte Humanist und Reformator, nannte einst Nürnberg in einem Atemzug mit den hochberühmten Städten der Antike. Und mit ihm waren viele Besucher beeindruckt von den Bürger- und Patrizierhäusern, die sie an „Residenzen von Fürsten und Königen" gemahnten. Gewerbe und Fernhandel, betrieben von tüchtigen und unternehmungsfreudigen Kaufleuten, hatten die Stadt reich gemacht. Wie sagte man doch damals so treffend? „Nürnberger Tand gehet durch alle Land'".

◁ **Nuremberg/Hangman's Walk**
Many visitors were, like Melanchthon, the famous humanist and reformer, impressed by the burghers' and patrician houses, which have been compared to the "residences of princes and kings".

◁ **Nuremberg/Passerelle du Bourreau**
Tout comme Melanchthon, le célèbre humaniste et réformateur allemand, de nombreux visiteurs de Nuremberg étaient impressionnés par les demeures bourgeoises et patriciennes qui leur rappelaient les «résidences de princes et de rois».

wir wollen aber die kleinen Städte nicht vergessen, die häufig – noch immer umgeben von Mauern und Türmen – abseits der großen Straßen liegen, fast unbemerkt von der Welt und vom Fremdenverkehr. Iphofen beispielsweise gehört dazu, eines der reizvollsten Städtchen im Fränkischen, wo Bewohner und Besucher auf holprigem Pflaster durch die engen Gassen gehen oder hinaus durch die schönsten Stadttore des Frankenlandes und hinein in die Weinberge.

Wer zur Zeit der Weinlese kommt, der kann noch erleben, daß die Winzer und Winzerinnen am Ende eines Tages singend aus dem Weinberg kommen, um unten im Ort gleich den Federweißen zu probieren, den noch jungen, kaum vergorenen Wein, den sie gern mit den am Straßenrand stehenden Fremden teilen. Aber Vorsicht, der Federweiße geht rasch in Kopf und Beine. Frickenhausen, Volkach und Escherndorf mit seinem „Escherndorfer Lump", einem köstlichen Wein, sind weitere gemütliche Stationen. Hier wird der Wein in die berühmte Bocksbeutelflasche abgefüllt.

In unsere Reise wollen wir auch das romantische Bamberg mit einschließen. Die Altstadt hat ihr mittelalterliches Gesicht über die Zeiten hinweg bewahrt. Sehenswert sind das

end of the Romantic Route, but we should not forget the smaller towns which – often still enclosed in their medieval fortifications lie off the main routes, half forgotten by the world and by the tourist trade. Iphofen, for example, is one of them, and is, indeed, one of the most charming little towns in the region. One of its narrow streets leads through the finest town gates in Franconia straight into the vineyards.

During the grape harvest it is not unusual to hear the pickers come home from their day's work in the vineyards singing. Back home, they like to try the "Federweisser" – young, unfermented wine – and will gladly share it with strangers. But take care: "Federweisser" quickly goes to your head and legs. Frickenhausen, Volkach, and Escherndorf, with its well-known "Escherndorfer Lump", a delicious wine, are other worthwhile places. Here the wines are bottled in the flagon-shaped bottles typical of Franconia.

Romantic Bamberg must certainly be included in our tour of Germany. The old part of the city has retained its medieval character throughout the ages. Favourite sights are the Town Hall, built on an island in the River Regnitz, and the fishermen's quarter on the bank of the river,

que mais nous ne devons pas omettre les petites villes qui, encore entourées de leurs fortifications médiévales, se trouvent à l'écart des grandes routes et sont presque oubliées du monde et du tourisme. Iphofen par exemple en fait partie. C'est l'une des petites villes les plus ravissantes de la région, aux étroites ruelles pavées qui mènent, en passant par les plus belles portes de ville de Franconie, jusqu'aux vignobles.

Pendant les vendanges, on peut entendre les vignerons et les vigneronnes descendre en chantant du vignoble leur journée de travail terminée. Rentrés chez eux, ils aiment goûter le «Federweisse», le vin qui n'est pas encore fermenté, et qu'ils partagent volontiers avec les étrangers. Mais il faut y prendre garde car il monte vite à la tête et coupe les jambes. Frickenhausen, Volkach et Escherndorf avec son «Escherndorfer Lump», un vin délicieux, sont d'autres étapes agréables. Ici le vin est servi dans des flacons en forme de gourde tout à fait caractéristiques de la région.

La ville romantique de Bamberg doit bien sûr faire également partie de notre itinéraire. La vieille ville a su conserver son aspect médiéval au cours des siècles. Il faut voir le vieil hôtel de ville construit sur une île de

▷ **Iphofen/Rödelseer Tor**
Das fränkische Weinstädtchen kann auf eine lange Geschichte zurückblicken: Bereits im Jahre 750 wird es zum erstenmal erwähnt. Die fast unversehrt erhalten gebliebene Stadtbefestigung stammt aus dem 15. Jahrhundert. Sie hat drei Tortürme, unter ihnen das reizende, an den Zwinger gebaute Rödelseer Tor.

▷ **Iphofen/Rödelsee Gate**
This little wine-growing town in Franconia can look back on a long history: it is documented from the year 750. The still almost intact fortifications date from the 15th century. They are broken by three gateways, including the Rödelsee Gate shown here, behind the bailey.

▷ **Iphofen/Porte du Rödelsee**
Cette localité viticole franconienne s'enorgueillit d'une longue histoire. Elle est en effet mentionnée pour la première fois en 750. Les fortifications du XVe siècle ont presque été entièrement conservées. Elles sont dotées de trois tours-portes dont celle, ravissante, du Rödelsee.

auf einer Insel in der Regnitz stehende Rathaus und die Fischersiedlung Klein-Venedig am Ufer des Flusses. Was man aber unbedingt probieren sollte, das ist das Bamberger Rauchbier, zu dem am besten eine deftige fränkische Brotzeit schmeckt.

Westlich von Würzburg erstreckt sich der Spessart, ein großes Waldgebiet, von dem allerlei Räuber- und Spukgeschichten erzählt werden und wo sich, fast ein wenig versteckt im Walde, das Schloß Mespelbrunn befindet, ein Märchenschloß, dessen beherrschender Rundturm im Jahre 1430 errichtet wurde.

Nördlich von Würzburg fährt der schnelle Autotourist an einer Ferienlandschaft vorüber, die einst im Herzen Deutschlands lag und heute durch ihre Randlage an der Grenze zur DDR ein wenig in Vergessenheit geraten ist. Es handelt sich um die Rhön, die zum Teil in den Bundesländern Bayern und Hessen liegt, zum Teil aber auch nach Thüringen in die DDR hineinragt. Überall in dieser Gegend spürt man die trennende Linie, stößt auf die Grenzpfähle der Bundesrepublik Deutschland, und in den kleinen Städten scheint die Zeit irgendwann in den dreißiger Jahren stehengeblieben zu sein. Da fehlt es nicht an

called "Little Venice". A Bamberg speciality which must be tried is the smoked beer, best accompanied by a tasty Franconian sausage or other local speciality.

To the west of Würzburg lies the large wooded region called the Spessart, the home of many a tale of robbers and ghosts. Almost hidden away in its depths is Mespelbrunn Castle, a fairytale moated castle, whose imposing main tower was erected in 1430.

To the north of Würzburg, the hasty motorist will drive straight past a holiday area which once lay in the heart of Germany, but which is now rather neglected due to its unfavourable position near the border to the German Democratic Republic. It is the Rhön region, which lies partly in West German Bavaria and Hesse, but also partly in East German Thuringia.

One is conscious of the line of demarcation everywhere in the uplands region, and one frequently sees the border markers of the Federal Republic of Germany. In the small towns it seems as if time stood still somewhere in the 1930's. There is no lack, however, of idyllic spots and picturesque streets. And the whole region, topped by the Wasserkuppe peak (over 3,000 ft), famous for its hang-gliding, is criss-

la Regnitz et la «Petite Venise», un quartier de pêcheurs sur les bords du fleuve. Mais ce qu'il faut absolument goûter, c'est la bière fumée de Bamberg accompagnée de préférence d'une des spécialités de la cuisine régionale.

A l'ouest de Wurtzbourg s'étend le Spessart, une vaste région boisée, théâtre de toutes sortes d'histoires de bandits et de fantômes et où se trouve, quelque peu caché dans la forêt, le château de Mespelbrunn, un château de conte de fées dont l'imposante tour ronde a été édifiée en 1430.

Au nord de Wurtzbourg, le touriste pressé passe à côté d'une région de villégiature qui se trouvait autrefois au cœur de l'Allemagne et qui aujourd'hui, du fait de sa situation limitrophe avec la RDA, est quelque peu tombée dans l'oubli. Il s'agit de la Rhön dont une partie est située en Bavière et en Hesse mais dont une autre s'avance jusqu'en Thuringe en RDA.

Partout dans cette région on sent cette ligne de démarcation, on se heurte aux poteaux-frontière de la République fédérale d'Allemagne et dans les petites villes le temps semble s'être arrêté à un moment quelconque des années trente. Celles-ci ne manquent pas de coins et de ruelles idylliques. Et toute la région

▷ **Bamberg/Altes Rathaus**
Bamberg trägt von alters her den Beinamen „deutsches Rom", denn es ruht wie die Stadt am Tiber auf sieben Hügeln. Sein Gründer, Kaiser Heinrich II., träumte außerdem davon, Bamberg zum Herzen des Reiches zu machen, zur geistigen und politischen „Hauptstadt des Erdkreises", wie dies in der Antike die Ewige Stadt gewesen war. Am Allerheiligentag des Jahres 1007 hatte deshalb der Kaiser, den man bald den Heiligen nennen sollte, die junge Kirchenstadt an der Regnitz gegen den erklärten Widerstand der Altbistümer Würzburg und Eichstätt zum Bistumssitz erhoben. Auf den Hügeln entstand die geistliche Stadt mit dem alles überragenden Zentrum, dem Dom St. Peter und Paul.

Zwischen dem geistlichen und dem weltlichen Bamberg stand vermittelnd das Alte Rathaus, das man bereits im Mittelalter – etwas eigenwillig – auf einer aufgeschütteten Insel im linken Regnitzarm errichtet hatte.

▷ **Bamberg/The Old Town Hall**
Bamberg has always borne the sobriquet "German Rome", because, like Rome, it is built on seven hills. Furthermore, its founder, Emperor Henry II, dreamed of making Bam-

berg the heart of the Empire, the spiritual and political "capital of the world", as the Eternal City had been in classical times. The new spiritual centre was constructed on the hills, dominated by the Cathedral of St. Peter and St. Paul. Between the secular and the ecclesiastical parts of the town stood the Old Town Hall, which had already been erected during the Middle Ages on an artificial island in one of the arms of the River Regnitz.

▷ **Bamberg/Vieil hôtel de ville**
De tout temps, Bamberg a été surnommé la «Rome allemande», car, comme la ville sur le Tibre, elle s'étend sur sept collines. Son fondateur, l'empereur Henri II, rêvait en outre de faire de Bamberg le centre de l'Empire, la capitale spirituelle et politique du monde à l'image de ce qu'avait été la Ville éternelle dans l'Antiquité. Sur les collines s'édifia la ville spirituelle avec pour centre la cathédrale St-Pierre et Paul. Entre le Bamberg spirituel et temporel, le vieil hôtel de ville servit d'intermédiaire. Il avait été bâti dès le moyen âge sur une île artificielle située dans le bras gauche de la Regnitz.

idyllischen Winkeln und Gassen. Und das ganze Land um die 950 Meter hohe Wasserkuppe, die berühmt geworden ist durch die kühnen Segelflieger, wird durchzogen von stillen Wanderwegen und vielen kleinen Sträßchen.

In der Rhön ist auch das Rhönrad erfunden worden. Das war im Jahre 1925. Es handelt sich hierbei um einen doppelten Stahlrohrreifen mit verschiedenen Stand- und Griffmöglichkeiten. Das in seinem Heimatland Deutschland fast vergessene Turngerät findet zur Zeit in den USA und in Japan viele Freunde.

Am Rande der Rhön liegt das Heilbad Kissingen mit seinen eleganten Kuranlagen und dem gemütlichen Marktplatz. Und weiter nördlich erreicht man Fulda, die barocke Stadt mit ihrem eindrucksvollen Dom und der St.-Michaels-Kirche, deren Krypta aus dem Jahre 822 stammt und die damit zu den ältesten erhalten gebliebenen Kirchenbauten in Deutschland zählt.

crossed by quiet paths and many little roads ideal for walking enthusiasts. The "Rhön wheel" was invented in this region in 1925. This is a double, tubular steel wheel which can be used in a variety of ways in gymnastics. Although almost forgotten in its German homeland, it is at present popular in the USA and Japan.

On the fringe of the Rhön region is the spa Bad Kissingen, with its elegant amenities and pleasant market square. And further to the north is Fulda, a baroque town with an impressive Minster, and St. Michael's Church, whose crypt dates back to 822, and which is therefore one of the oldest church buildings in Germany.

située autour de la Wasserkuppe, qui culmine à 950 mètres, et est devenue célèbre par ses audacieux planeurs, est traversée de paisibles chemins de randonnée et de nombreuses petites routes.

C'est dans la Rhön qu'a également été inventée la roue vivante en 1925. Il s'agit d'un appareil de gymnastique, une double roue en acier qui, si elle est presque tombée dans l'oubli dans sa patrie allemande, connaît actuellement un regain de popularité aux Etats-Unis et au Japon.

En bordure de la Rhön se trouve la station thermale de Bad Kissingen dotée d'installations de cure élégantes et d'une charmante place du Marché. Plus au nord est située Fulda, la ville baroque avec son impressionnante cathédrale et l'église St-Michel dont la crypte date de 822 et qui compte ainsi parmi les plus anciennes églises d'Allemagne.

▷ **Wasserschloß Mespelbrunn**
Seit nunmehr fünf Jahrhunderten spiegelt sich das verwunschene Schlößchen in dem kleinen Waldsee, der ihm früher natürlichen Schutz geboten hat. Der beherrschende Rundturm hat noch einen kleinen Bruder zur Linken, der etwas zu kurz geraten scheint.

▷ **The moated castle of Mespelbrunn**
This little "enchanted" castle has been reflected now in the woodland lake, which once gave it natural protection, for five centuries. The dominant round tower has a smaller brother on the left, which gives the impression of being somewhat stunted.

▷ **Castel d'eau de Mespelbrunn**
Voici maintenant cinq siècles que le ravissant petit château se mire dans les eaux de l'étang qui lui offrait autrefois une protection naturelle. L'imposante tour ronde a encore, à gauche, une sœur nettement plus petite.

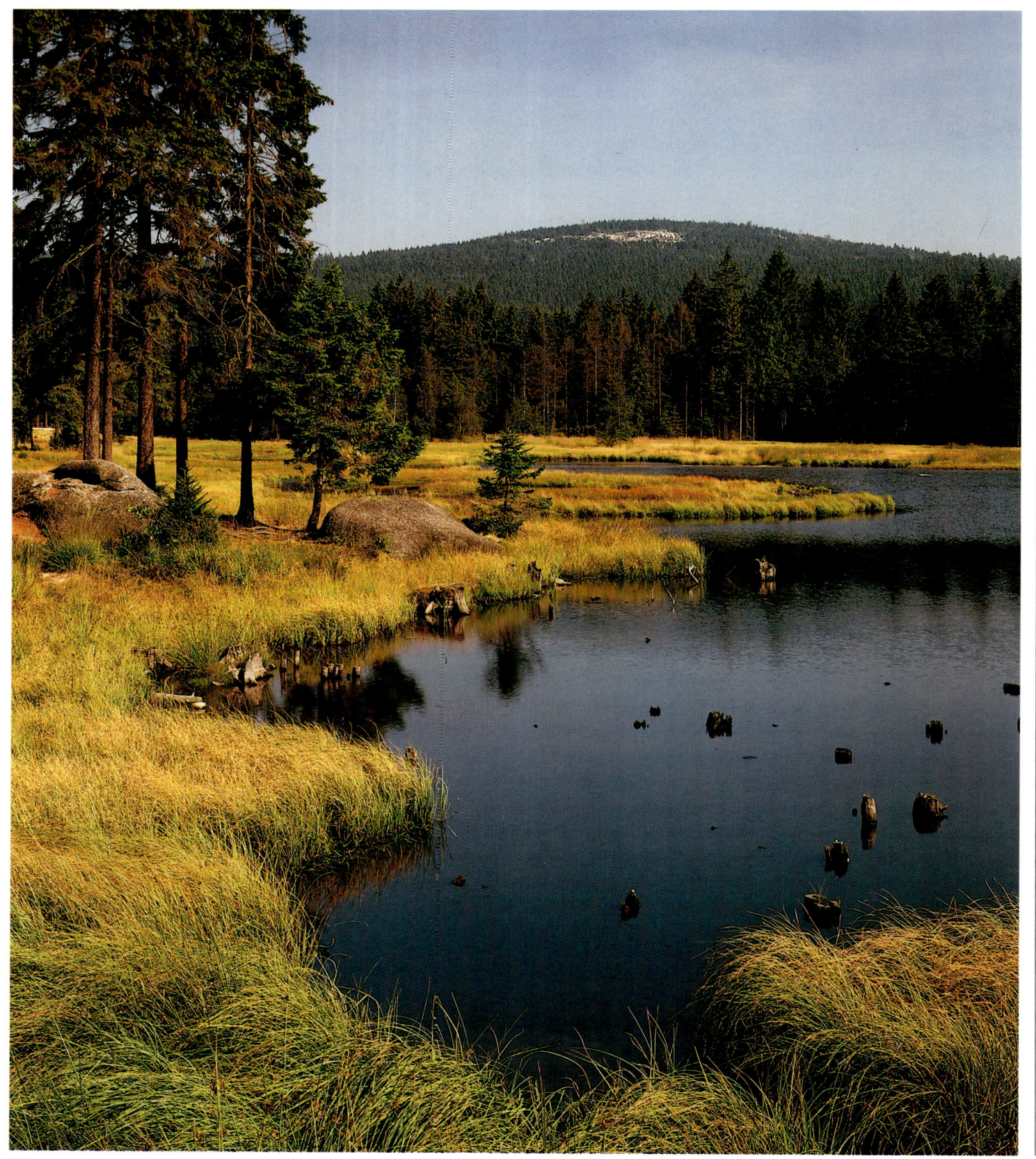

Fichtelsee

*Der Romantiker Eichendorff ver-
lebte zahllose glückliche Stunden
auf Wanderungen in deutschen
Wäldern. Eine Landschaft wie diese
im Fichtelgebirge muß er vor Augen
gehabt haben, als er am Ende seines
Lebens „Abschied" vom Wald
nahm:
O Täler weit, o Höhen,
  o schöner, grüner Wald,
Du meiner Lust und Wehen
  andächt'ger Aufenthalt!*

Lake Fichtel

*Lake Fichtel is in the Fichtel Moun-
tains, which lie across the German-
Czechoslovakian frontier. It is an
interesting and varied landscape,
with extensive spruce forests and
lovely river valleys, and is dotted
with piles of weathered boulders
and impressive granite crags.*

Fichtelsee

*Eichendorff, qui fut appelé «le der-
nier chevalier de l'époque romantique», a passé de nombreuses
heures agréables en se promenant
dans les forêts allemandes. Et il a
dû avoir devant les yeux un paysage
comme celui du Fichtelgebirge lorsque, à la fin de sa vie, il fit ses
«Adieux» à la forêt:
Ô larges vallées, ô sommets,
  ô belles et vertes forêts,
De mes joies et mes peines le refuge
  secret!*

▽ **Burg Prunn**
Auf einem bizarr zerklüfteten Kalkfelsen blickt die alte Burg weit hinab ins Altmühltal. Im frühen 19. Jahrhundert wurde sie unter König Ludwig I. sorgfältig restauriert.

▷▷ **Burg Brandenstein im Spessart**
Der Spessart ist eines der größten deutschen Waldgebiete. Denn die Kurfürsten von Mainz wollten ihn als ideales Jagdrevier erhalten und untersagten daher jegliche Ansiedlung, natürlich außer einigen reizenden Jagdschlößchen, in denen die durchlauchtigsten Jagdgesellschaften zu nächtigen pflegten.

▽ **Prunn Castle**
Built on a rugged limestone spur, the old castle looks down proudly into the Altmühl Valley. It was restored in the early 19th century under King Ludwig I.

▷▷ **Brandenstein Castle in the Spessart**
The Spessart is one of Germany's largest forested areas, because the Electors of Mainz wanted to preserve it as an ideal hunting region, and therefore forbade any building with the exception of a few charming hunting lodges in which the lordly hunting parties could find refuge overnight.

▽ **Château de Prunn**
Perché sur une roche calcaire aux formes bizarres, le vieux château surplombe la vallée de l'Altmühl. Il a été soigneusement restauré au début du XIXe siècle sous le roi Louis Ier.

▷▷ **Château de Brandenstein dans le Spessart**
Le Spessart est une des plus vastes régions boisées d'Allemagne. Les princes-électeurs de Mayence voulurent en effet le conserver comme terrain de chasse idéal et interdirent toute implantation à l'exception de quelques ravissants pavillons de chasse où leurs Altesses se plaisaient à passer la nuit.

▽ **Kreuzberg in der Rhön**

Der „Heilige Berg der Rhön" bewahrt Kilian, dem Apostel der Franken, ein ehrendes Andenken. Der irische Missionar soll hier anstelle eines heidnischen Opfersteins das Symbol der Christenheit, ein Kreuz, errichtet haben.

▽ **Kreuzberg in the Rhön**

The "sacred mountain of the Rhön" preserves the memory of Kilian, the "Apostle of Franconia". The Irish missionary is said to have set up a cross here in place of a heathen sacrificial stone.

▽ **Le Kreuzberg dans la Rhön**

La «montagne sainte de la Rhön» garde le souvenir de saint Kilian, l'apôtre de Franconie. Le missionnaire irlandais aurait érigé une croix à cet endroit à la place d'un autel païen.

▷ Fulda/Dom St. Salvator und Bonifatius

Seit zwölf Jahrhunderten ist die Stadt am Rande der Rhön ein Zentrum des religiösen Lebens in Deutschland. Und stets besaß sie ein repräsentatives Gotteshaus. Zunächst eine Basilika, deren Westchor das Grab des heiligen Bonifatius barg. Zu Beginn des 18. Jahrhunderts war die alte Kirche jedoch so baufällig geworden, daß auf ihren Grundmauern der gewaltige Dom in schönstem Barock errichtet wurde.

▷ Fulda/The Cathedral of St. Salvator and St. Boniface

This city at the edge of the Rhön region has been one of the major German religious centres for twelve centuries. And it has always had a prestigious church. At first it was a basilica, in whose western choir the grave of St. Boniface lay. By the beginning of the 18th century, however, the old basilica was in such bad shape that the church shown here – a magnificent baroque edifice – was built on the old foundations.

▷ Fulda/Cathédrale St-Sauveur et Boniface

Depuis douze siècles, la ville, située en bordure de la Rhön, est un centre de la vie religieuse en Allemagne. Et elle a toujours eu une magnifique église. Tout d'abord une basilique, dont le chœur occidental renfermait le tombeau de saint Boniface. Mais, au début du XVIIIᵉ siècle, celle-ci étant tombée dans un tel état de délabrement, on érigea sur ses fondations l'imposante cathédrale dans le plus beau style baroque.

97

Nürnberg/Burggraben

Beschaulich wird es, wenn die Nacht sich auf die stadtbeherrschende Kaiserburg senkt. Die ehrwürdige Burg hat Kaiser und Könige kommen und gehen sehen – und mittlerweile eine Unmasse Touristen.

▽ **Nürnberg/Christkindlmarkt**

Vom Balkon der Frauenkirche (linkes Bild) hatte einst Kaiser Karl IV. seinem Volk die Reichskleinodien gezeigt. Käme er heute in der Adventszeit wieder, wäre er sicher baß erstaunt über das rege und doch beschauliche Treiben, das sich zu Füßen seiner ehemaligen Hofkirche abspielt.

◁ **Nuremberg/The castle moat**

At night the imperial castle, which dominates the town, becomes picturesquely quiet. The venerable castle has seen many kings come and go – and, in more recent times, huge numbers of tourists.

▽ **Nuremberg/Christmas Market**

Emperor Charles IV once showed his people the imperial insignia from the balcony of the Church of Our Lady (left). If he could see Nuremberg in the Advent season today, he would certainly be astonished at the busy but happy scenes typical of the Christmas market that takes place every year in front of what was then his Court church.

◁ **Nuremberg/La douve du château**

C'est une image paisible qu'offre le château impérial à la nuit tombante. Le vénérable édifice a vu passer empereurs et rois – et aussi une foule de touristes.

▽ **Nuremberg/Marché de Noël**

Du balcon de l'église Notre-Dame (photo de gauche), l'empereur Charles IV a jadis présenté à son peuple les joyaux de la couronne. S'il devait revenir aujourd'hui, au temps de l'avent, il serait étonné de voir l'animation qui règne au pied de l'ancienne église impériale.

Neckarland

Neckarland

La région du Neckar

Wer immer in der Welt an Deutschland denkt, vor dessen geistigem Auge erhebt sich – hoch über dem Neckar – die Ruine des Schlosses von Heidelberg.
Und wer immer nach Deutschland kommt – aus Amerika, aus Asien, Afrika oder Australien –, es führt für ihn kein Weg an Heidelberg vorbei.
Denn diese alte Stadt, die schon im 1. Jahrhundert nach Christus ein römischer Militärstützpunkt war, wurde zum Inbegriff für das romantische Deutschland. Und die Romantik lebt auch heute noch in Heidelberg an den Ufern des von Burgen gesäumten Neckars.
Wie Generationen vor ihr, so studiert auch in unserer Zeit die Jugend der Welt in Heidelberg, wo sich – nach Prag – die älteste deutsche Universität befindet. Junge Leute bevölkern die Cafés und Gasthäuser im Herzen der Altstadt, die geprägt wird von der Heiliggeistkirche.
Es gibt aber auch noch Kneipen, in denen schon die Großväter der heutigen Studenten ihre Namen in die Tische geritzt haben und auch ihre Hoffnungen – in Form von Initialen, hinter denen sich häufig eine Heidelberger Schönheit verbarg.
Das Schloß von Heidelberg, im Jahre 1225 zum erstenmal erwähnt,

Throughout the world, anyone thinking of Germany is likely to visualize the ruins of Heidelberg Castle rising high above the River Neckar. And anyone coming to Germany – be it from America, Asia, Africa, or Australia – will surely visit Heidelberg. For this old city – already established as a Roman fort in the 1st century AD – has become a symbol for romantic Germany, which is still very much alive in Heidelberg on the Neckar, a river whose banks are studded with castles.
The youth of the world still studies – as it has done for generations – at Heidelberg, which can boast the oldest German university after Prague. Young people throng the cafés and inns in the heart of the old part of the city, which is dominated by the Church of the Holy Spirit. And there are also inns where the grandfathers of the present students carved their names in the tables, or gave expression to their amorous ambitions in the form of carved initials signifying some local beauty.
Heidelberg Castle is first documented in the year 1225, and it reached its zenith in the 16th and early 17th centuries under the counts palatine. The gardens, begun under Frederick V in 1613, are world famous.
But it was also under Frederick V

Partout dans le monde, quand on songe à l'Allemagne, on a devant les yeux l'image des ruines du château de Heidelberg qui domine la vallée du Neckar.
Et quiconque se rend en Allemagne – qu'il vienne d'Amérique, d'Asie, d'Afrique ou d'Australie – visitera très certainement Heidelberg. Car cette vieille cité, qui dès le premier siècle après J.-C. était déjà un camp romain, est devenu le symbole de l'Allemagne romantique encore bien vivante à Heidelberg sur les rives du Neckar parsemées de châteaux.
Comme des générations avant elle, la jeunesse du monde entier fréquente aujourd'hui l'université de Heidelberg, la plus ancienne université d'Allemagne après Prague.
Les jeunes gens animent les cafés et les auberges au cœur de la vieille ville où s'élève l'église du St-Esprit.
Il y a également des auberges où les grands-pères des étudiants de maintenant ont gravé leurs noms dans les tables ou donné libre cours à des rêves en y inscrivant les initiales de la beauté locale qu'ils convoitaient.
Le château de Heidelberg est mentionné pour la première fois en 1225 et a connu sa période de gloire sous les comtes palatins aux XVIe et XVIIe siècles. Les jardins, commencés sous Frédéric V, en 1613, sont devenus mondialement célèbres.

◁ **Burg Zwingenberg am Neckar**
Vor ihrem Eingang klafft die Wolfsschlucht, die wohl Carl Maria von Weber zur grandiosen Szene im II. Akt des „Freischütz" inspirierte.
▷▷ **Heidelberg/Schloß und Alte Brücke**
Die alte Universitätsstadt gilt in der ganzen Welt als Inbegriff des romantischen Deutschland.

◁ **Zwingenberg Castle on the Neckar**
In front of the entrance is the Wolf's Glen, which inspired Carl Maria von Weber to compose the great scene in Act II of "Freischütz".
▷▷ **Heidelberg/Castle and Old Bridge**
The old university town, celebrated in song and verse, is regarded throughout the world as the embodiment of romantic Germany.

◁ **Château de Zwingenberg sur le Neckar**
Devant son entrée s'ouvre la gorge du Loup qui inspira Carl Maria von Weber pour la scène grandiose au IIe acte du «Freischütz».
▷▷ **Heidelberg/Château et pont vieux**
Beaucoup de poètes ont célébré Heidelberg et son château qui, pendant la guerre du Palatinat, fut la cible des armées françaises.

wurde von den Pfalzgrafen im 16. und beginnenden 17. Jahrhundert zur höchsten Blüte geführt. In der ganzen Welt gerühmt wurden die unter Friedrich V. im Jahre 1613 begonnenen Gartenanlagen.

Unter Friedrich V. begann aber auch der Niedergang. Der Kurfürst nahm die böhmische Königskrone an, löste damit den Dreißigjährigen Krieg aus und verlor schließlich sein Land und seine Kurfürstenwürde. Das Schloß wurde im Jahre 1689 von den Franzosen zerstört und nie wieder aufgebaut.

Die Romantik der Stadt Heidelberg wird auf eindrucksvolle Weise ergänzt durch eine zauberhafte Umgebung, zu der unter anderem auch die Bergstraße gehört. Sie kommt von Norden her, südlich von Frankfurt beginnend, und ist vor allem im Frühling, wenn die Mandelbäume blühen, ein vielbesuchtes Ausflugsziel.

Im Süden von Heidelberg erstreckt sich der Kraichgau mit seinen freundlichen Landstädten und kleinen Weindörfern. Dort schaut man sich vor allem das Schloß in Bruchsal an und das berühmte Kloster Maulbronn, das 1147 von Zisterziensern aus dem Elsaß gegründet wurde und in seiner mittelalterlichen Anlage nahezu unverändert erhalten geblieben ist.

that Heidelberg's decline began. The Elector accepted the crown of Bohemia, which initiated the Thirty Years' War, and finally lost his lands and his Electorship. The castle was destroyed by the French in 1689, and was never rebuilt.

The romantic impression made by Heidelberg is very much enhanced by its delightful surroundings, including the Bergstrasse, the Roman *strata montana,* which comes from the north, starting south of Frankfurt, and which is a popular excursion route, particularly in spring when the almond trees are in bloom.

To the south of Heidelberg lies the Kraichgau area, with its charming little country towns and wine-growing villages. Prime attractions here are the palace at Bruchsal, and the famous Maulbronn Monastery, which was founded in 1147 by Cistercians from Alsace, and has survived almost complete and unchanged in its medieval form.

Maulbronn is the home of a world champion: an innkeeper who succeeded in making 1,134 "Maultaschen" in just 22 minutes 17 seconds. "Maultaschen" are a Swabian speciality, rather like large ravioli, consisting of small cases of dough stuffed with meat, and should certainly be tried by every visitor.

Mais c'est sous Frédéric V également que commence le déclin de Heidelberg. Le prince-électeur accepta la couronne de Bohême déclenchant ainsi la guerre de trente ans et finit par perdre ses terres et son électorat. Le château fut détruit par les Français en 1689 et ne fut jamais reconstruit.

Le romantisme de la ville de Heidelberg est admirablement rehaussé par de merveilleux environs dont fait également partie la Bergstrasse, la route des Côtes qui venant du nord commence au sud de Francfort et est un but d'excursions très fréquenté surtout au printemps lorsque les amandiers sont en fleurs.

Au sud de Heidelberg s'étend le Kraichgau avec ses charmantes petites villes et ses localités viticoles. On y visite surtout le château à Bruchsal et la célèbre abbaye de Maulbronn, fondée en 1147 par des cisterciens venus d'Alsace, et dont les bâtiments médiévaux sont restés presque inchangés.

Maulbronn est la patrie d'un champion du monde d'une catégorie peu commune: un aubergiste a réussi à confectionner 1134 «Maultaschen» en 22 minutes et 17 secondes. Les «Maultaschen» sont une spécialité souabe qui consiste en de la pâte fourrée de viande et qu'il faut absolument goûter.

▷ Heppenheim an der Bergstraße/ Altstadtwinkel

In einem dieser Fachwerkhäuser begann 1818 Justus von Liebig, der berühmte Chemiker, eine Apothekerlehre. Da ihn die Chemie mehr interessierte als die Pharmazie, experimentierte er heimlich mit Knallsilber, bis die Mischung eines schönen Tages explodierte und Liebigs Lehrzeit ein jähes Ende fand – der Apotheker warf ihn hinaus!

▷ Heppenheim an der Bergstrasse/ Corner of the Old Town

Justus von Liebig, the famous chemist, began an apprenticeship at a chemist's shop in one of these half-timbered houses in 1818. As he was more interested in chemistry than pharmacy he secretly experimented with mercury fulminate – until the mixture exploded. That was the end of his short-lived apprenticeship!

▷ Heppenheim sur la Bergstrasse/ Un coin de la vieille ville

C'est dans une de ces maisons paisibles que Justus von Liebig, le célèbre chimiste, commença, en 1818, un apprentissage de pharmacien. Mais il se livra en secret à des expériences avec du fulminate d'argent jusqu'à ce qu'un beau jour le mélange explose. Le pharmacien le mit évidemment à la porte.

In Maulbronn hat es ein tüchtiger Gastwirt zu Weltmeisterehren gebracht: Er schaffte es, 1134 Maultaschen in 22 Minuten und 17 Sekunden herzustellen. Maultaschen, mit Fleisch gefüllter Teig, sind eine schwäbische Spezialität, die man unbedingt probieren sollte.

Am Rande des Kraichgaus liegt Karlsruhe, eine verhältnismäßig junge Stadt, die erst im Jahre 1715 gegründet und planmäßig angelegt wurde. Ihr Gründer, der Markgraf Karl Wilhelm, war ein Mann voller Tatendrang und Lebensfreude, der in einer Zeit, da seine „Kollegen" überall in Deutschland vorzugsweise an die Stärkung ihrer Armeen dachten, sich eine Garde aus hübschen jungen Mädchen zulegte, die er seine „Tulpenmädchen" nannte. Sie mußten ihm immerzu Tulpenbilder malen, die man heute noch in der Landesbibliothek bewundern kann. In der Nähe von Heidelberg hat sich auch eines der großen deutschen Heldendramen ereignet: der Meuchelmord an Siegfried durch den finsteren Hagen.

Es ist nicht genau geklärt, ob sich dieses schreckliche Ereignis, das zu den Höhepunkten der deutschen Heldensagen gehört, im nahen Odenwald zugetragen hat oder im Kraichgau, wo in einem Wald bei Odenheim der Siegfriedsbrunnen sprudelt.

On the fringe of the Kraichgau area lies Karlsruhe, a relatively young town, founded in 1715, and laid out according to a plan. Its founder, Margrave Karl Wilhelm, was a vigorous, high-spirited man who, at a time when all his "colleagues" in Germany were mainly concentrating on strengthening their armies, established a guard consisting of pretty young women, whom he called his "Tulip Girls". Their main duty was to paint pictures of tulips for him, and these can still be seen in the State Library. It was near Heidelberg, too, that one of the great German heroic dramas took place: the assassination of Siegfried by Hagen. It is not quite certain whether this terrible deed, which forms one of the culmination points of the German sagas, took place in the nearby Odenwald Hills or in Kraichgau, where a spring called Siegfriedsbrunnen rises in a wood near Odenheim.

The great hero Siegried was challenged to a race by Hagen. Siegfried arrived first at the goal – the spring just mentioned – and, as he was bending over it to quench his thirst, was stabbed by Hagen. Hagen was able to kill him because he knew the one spot where Siegfried was vulnerable. The hero had almost achieved invulnerability by bathing

En bordure du Kraichgau se trouve Karlsruhe, une ville relativement jeune, puisqu'elle n'a été fondée qu'en 1715, et tracée selon un plan en forme d'étoile. Son fondateur, le margrave Charles-Guillaume, était un homme dynamique, débordant de joie de vivre, et qui à une époque où ses «collègues» partout en Allemagne ne songeaient qu'à renforcer leurs armées se constitua une garde composée de ravissantes jeunes filles qu'il appelait ses «filles tulipes». Celles-ci avaient pour tâche principale de lui peindre des tableaux avec des tulipes que l'on peut encore admirer aujourd'hui dans la bibliothèque régionale. C'est dans les environs de Heidelberg également que s'est déroulé l'un des plus grands drames épiques allemands: l'assassinat de Siegfried par Hagen, son vassal. On ne sait pas vraiment si ce terrible événement qui fait partie des grands moments des épopées allemandes s'est déroulé dans la forêt voisine du Odenwald ou dans le Kraichgau où, dans un bois près d'Odenheim, jaillit une source appelée la source de Siegfried.

Siegfried, le merveilleux héros que le sang d'un dragon avait rendu presque invulnérable, avait été défié à la course par Hagen. Siegfried arriva le premier au but – la source en

106

▷ Schloß Bruchsal
Diese großartige Schloßanlage muß unter die bedeutendsten Barockbauten eingereiht werden. Sie birgt in ihrem Innern eine der elegantesten Raumschöpfungen des Barock, Balthasar Neumanns Bruchsaler Treppe.

▷ Bruchsal Palace
Any list of the world's most important baroque buildings would surely have to include this splendid palace. It contains one of the most elegant architectural gems of the baroque period: Balthasar Neumann's Bruchsal staircase.

▷ Château de Bruchsal
Ce merveilleux édifice fait partie des plus belles constructions baroques. Il renferme une des plus élégantes créations de cette architecture, un grand escalier de Balthasar Neumann.

Der strahlende und durch Drachenblut nahezu unverwundbar gewordene Held Siegfried war nämlich von Hagen zu einem Wettlauf aufgefordert worden. Siegfried traf als erster am Ziel, jenem besagten Brunnen, ein, beugte sich nieder, um seinen Durst zu löschen, und – wurde von Hagen erstochen. Denn der Bösewicht wußte, daß Siegfried beim Bade im Drachenblut ein Blatt zwischen die Schulterblätter gefallen war – die einzige Stelle, an der er dem Helden den tödlichen Stoß versetzen konnte. Siegfried und Hagen zählen zu den Hauptpersonen des Nibelungenlieds, das in der Zeit um 1200 gestaltet und aufgeschrieben wurde. Zu den unvergeßlichen Eindrücken einer Reise durch Deutschland gehört eine Fahrt neckaraufwärts, entlang der Burgenstraße. Dort erheben sich rechts und links die Burg Hirschhorn, die Ruinen Emichsburg und Stolzeneck, die Burg Zwingenberg und die Ruine Minneburg, Schloß Neuburg und Burg Hornberg, schließlich auch das Schloß Guttenberg, eine mächtige Burganlage, eine der ältesten weit und breit, deren Bergfried noch aus der Zeit der Stauferkaiser stammt. Von den einst so romantischen Stadtteilen Heilbronns ist nach den schweren Verwüstungen während

in the blood of a dragon he had killed, but a leaf had fallen onto his back between his shoulder blades – and this was the one spot where he could be dealt a fatal wound. Siegfried and Hagen are two of the main characters in the famous Lay of the Nibelungs which was written in about 1200.
One of the unforgettable experiences Germany has to offer is a drive along the River Neckar on the "Burgenstrasse", or Castle Route. There, to the left and right, rise Hirschhorn Castle, the ruins of Emichsburg and Stolzeneck Castles, Zwingenberg Castle, the ruins of Minneburg, Neuburg and Hornberg Castles, and, finally, Guttenberg Castle. The latter is a mighty complex, one of the oldest in the whole region; its keep dates back to the days of the Hohenstaufen emperors. Not much was left of the once so romantic parts of Heilbronn after the destruction of the Second World War. But the Götzenturm, the tower in which Götz von Berlichingen was imprisioned in 1519, is still intact. Götz, the Knight of the Iron Hand, played a heroic part in the closing phase of the German age of chivalry, and inspired Goethe to one of his great dramas.
In the year 950, the Swabian Duke Liudolf founded a stud in a valley of

question – se pencha pour apaiser sa soif et fut poignardé par Hagen. Celui-ci connaissait en effet le seul point vulnérable de son corps entre les omoplates, là où une feuille était tombée lorsque Siegfried s'était baigné dans le sang du dragon. Siegfried et Hagen sont parmi les principaux personnages de la *Chanson des Nibelungen* qui fut écrite vers 1200. Le circuit de la route des Châteaux (Burgenstrasse) le long du Neckar est un des plus pittoresques que l'Allemagne ait à offrir. De chaque côté de la route s'élèvent le château de Hirschhorn, les ruines d'Emichsburg et de Stolzeneck, le château de Zwingenberg et les ruines du Minneburg, le château de Neuburg et celui de Hornberg, enfin le château de Guttenberg, une imposante construction, une des plus anciennes de la région dont le donjon date encore de l'époque des empereurs de la dynastie des Hohenstaufen.
Il n'est pas resté grand-chose de la ville de Heilbronn, autrefois si romantique, après les destructions de la deuxième guerre mondiale. Mais on y trouve encore le Götzenturm, la tour dans laquelle fut emprisonné le chevalier Götz von Berlichingen en 1519. Götz, le chevalier à la main de fer a joué un rôle héroïque à la fin de l'époque de la chevalerie allemande et Johann Wolfgang von

◁ **Besigheim/Enzpartie**
Besigheim, reizvoll auf einem schmalen Bergrücken zwischen Neckar und Enz gelegen, ist mit seinen Fachwerkhäusern und bunten Dächern ein Schmuckstück unter den schwäbischen Städten.
▷▷ **Bebenhausen/Ehemaliges Zisterzienserkloster**
Idyllisch liegt es in einer Talmulde, das frühere Kloster der Zisterzienser. Schon von weitem grüßt der filigranartige Glockenturm.

◁ **Besigheim/The River Enz**
Besigheim with its half-timbered houses and colourful roofs, is one of the most delightful towns in Swabia.
▷▷ **Bebenhausen/Former Cistercian Abbey**
When they founded the abbey in the 12th century, the Cistercians chose an idyllic valley site, which has lost none of its enchantment.

◁ **Besigheim/La partie de l'Enz**
Besigheim est, avec ses maisons à colombages et ses toits colorés, un joyau parmi les villes souabes.
▷▷ **Bebenhausen/Ancien monastère de cisterciens**
L'ancien monastère de cisterciens a une situation idyllique dans le fond d'une vallée. Son clocher dentelé se voit de loin.

des Zweiten Weltkrieges nicht viel geblieben. Doch steht noch heute der Götzenturm, in dem der Ritter Götz von Berlichingen im Jahre 1519 gefangen saß. Götz, der Ritter mit der eisernen Hand, spielte in der Endphase des deutschen Rittertums eine Heldenrolle, aus der Johann Wolfgang von Goethe die Idee zu einem seiner großen Dramen schöpfte.

Im Jahre 950 gründete der Schwabenherzog Liudolf in einem Talkessel des Nesenbachs ein Gestüt, in dessen Umgebung sich nach und nach immer mehr Menschen ansiedelten. Man sprach ganz allgemein vom Stutengarten. Und daraus wurde dann im Jahre 1250 die Stadt Stuttgart.

Stuttgart ist heute eines der wichtigen Industriezentren Deutschlands. In den kleinen Weinstuben der Stadt, auf den Plätzen und Straßen aber geht es noch immer gemütlich zu. Und nach wie vor bauen die Stuttgarter an den Hängen des Talkessels, in dem sich einst die Pferde auf der Weide tummelten, ihren Wein an.

Das Land östlich von Heilbronn und Stuttgart gehört zu den Geheimtips, wenn Deutsche einem Fremden ein besonders schönes Reiseland zeigen wollen. Da ist das beschauliche Remstal mit

a stream called the Nesen. In the course of time, more and more people settled there, and it came to be called Stutengarten (Mares' Garden). By 1250 the town Stuttgart had emerged from these modest beginnings.

Stuttgart is now one of Germany's most important industrial centres. But the atmosphere of the town – in its little wine bars, its friendly squares and streets – is still very easygoing. And the Stuttgarters still grow plenty of wine on the hills around the valley in which horses were once bred. Though not so well-known, the country to the east of Heilbronn and Stuttgart is one of the most delightful touring regions, offering a wide variety of interest. The quiet Rems Valley, for example, with its excellent wines and pleasant villages. Then there are attractive towns such as Schwäbisch Gmünd, Schwäbisch Hall, Murrhardt, Öhringen, and Künzelsau. And Hohenloher Land with its castles and palaces, of which only two can be mentioned here: Neuenstein and Langenburg.

Langenburg Castle, perched together with the place of the same name on a ridge where a fresh breeze always seems to blow, is one of Germany's most impressive castles. It is still lived in by Prince

Gœthe s'en est inspiré pour l'un de ses grands drames.

En l'an 950, le duc souabe Liudolf établit dans la vallée d'un ruisseau, appelé Nesenbach, un haras dans les environs duquel viennent s'installer de plus en plus de gens. On appelle alors cet endroit le Stutengarten (jardin des juments) qui devient en 1250 la ville de Stuttgart.

Stuttgart est aujourd'hui l'un des plus grands centres industriels d'Allemagne. Mais dans les petites tavernes de la ville, sur les places et dans les rues, il fait toujours bon vivre. Et on cultive toujours la vigne sur les versants de la vallée où s'ébattaient autrefois les chevaux.

A l'est de Heilbronn et Stuttgart se trouve une région particulièrement pittoresque bien que moins connue. C'est la paisible vallée de la Rems avec ses bons vins et ses localités accueillantes comme Schwäbisch Gmünd, Schwäbisch Hall, Murrhardt, Öhringen et Künzelsau. C'est le pays de Hohenlohe riche en châteaux dont deux seulement seront mentionnés ici, Neuenstein et Langenburg.

Le château de Langenburg, situé avec la localité du même nom sur la crête d'une montagne où souffle toujours une fraîche brise, est l'un des châteaux les plus imposants d'Allemagne. Il est encore habité par le

▷ Schloß Neuenstein
Hohenlohe war eines der vielen, gar nicht so kleinen Fürstentümer im alten Deutschen Reich. Und wie es landauf, landab üblich war, so errichtete sich das Fürstenhaus auch hier eine imposante und pompöse Renaissanceresidenz. Die zahlreichen Schmuckgiebel wurden allerdings erst 1906 gesetzt. Zu dieser Zeit ist es aber mit der politischen Eigenständigkeit längst vorbei, denn Neuenstein und ein Teil des Hohenloher Landes waren bereits zu Beginn des 19. Jahrhunderts zu Württemberg gekommen.

▷ Neuenstein Palace
Hohenlohe was once one of the many not-so-small principalities in the old German Empire. And, in keeping with the times and their station, the Hohenlohes built themselves an imposing, even pompous, Renaissance residence here.

▷ Castel d'eau de Neuenstein
La Hohenlohe fut une des multiples principautés de l'ancien Empire germanique. Et, comme partout ailleurs, la maison princière édifia ici également une imposante et fastueuse résidence.

seinen guten Weinen und einladenden Ortschaften. Da sind Städte wie Schwäbisch Gmünd, Schwäbisch Hall, Murrhardt, Öhringen und Künzelsau. Da ist das Hohenloher Land mit seinen Burgen und Schlössern, von denen hier nur Neuenstein und Langenburg erwähnt werden sollen.

Schloß Langenburg, zusammen mit dem gleichnamigen Ort auf einem Bergrücken gelegen, wo immer ein frischer Wind weht, gehört zu den imposantesten deutschen Burganlagen. Sie wird noch heute vom Fürsten Hohenlohe-Langenburg bewohnt, der in einem Nebengebäude seiner Burg ein Automuseum eingerichtet hat. Von Zeit zu Zeit bekommen der Fürst und seine Familie Besuch von ihren Verwandten in England: Sie stehen – über den Prinzen Philip – dem englischen Königshaus nahe.

Hohenlohe-Langenburg, who has set up a car museum in one of the outbuildings. The prince and his family have visitors from England every now and then: they are related to the British royal house via Prince Philip.

prince de Hohenlohe-Langenburg qui, dans un bâtiment annexe de son château, a aménagé un musée de l'automobile. De temps en temps, le prince et sa famille ont de la visite d'Angleterre car ils sont parents de la maison royale britannique par le prince Philippe.

▷ **Strümpfelbach im Remstal**
Das alte Weindorf Strümpfelbach ist bekannt geworden durch seine ausnehmend schöne Fachwerkarchitektur wie auch durch die feinherben Weine, die hier seit Generationen gekeltert werden.

▷ **Strümpfelbach in the Rems Valley**
The old wine-growing village of Strümpfelbach is known for its particularly fine half-timbered buildings and for its excellent dry wines, which have been made here for generations.

▷ **Strümpfelbach dans le Remstal**
Cette ancienne localité viticole est célèbre par l'exceptionnelle beauté de son architecture à colombages ainsi que par la qualité des vins secs que l'on y produit depuis des générations.

◁ **Schloß Lichtenstein**
▷ **Wurmlingen/Kapelle St. Remigius**

Zwei schwäbische Wahrzeichen und ihre Dichter: Die Wurmlinger Kapelle wurde berühmt durch die Verse Ludwig Uhlands: „Droben stehet die Kapelle, schauet tief ins Tal hinab …"
Schloß Lichtenstein wurde nach einer Beschreibung in Wilhelm Hauffs gleichnamigem Roman errichtet. Hauff hatte darin das Schicksal eines württembergischen Herzogs so ergreifend geschildert, daß sich dessen Nachfahr entschloß, die bereits abgebrochene Burg nach des Dichters Schilderung neu zu erbauen.

◁ **Lichtenstein Castle**
▷ **Wurmlingen/St. Remigius' Chapel**

Two Swabian emblems and their poets: the Wurmlingen Chapel was made famous by Ludwig Uhland's verses. And Lichtenstein Castle was built according to a description that appeared in a novel of the same name by Wilhelm Hauff. Hauff described the fate of a Württemberg duke so movingly that one of the duke's descendants had the castle, which had already been pulled down, rebuilt as described by Hauff.

◁ **Château de Lichtenstein**
▷ **Wurmlingen/Chapelle St-Rémy**

Deux emblèmes souabes et leurs poètes: la chapelle de Wurmlingen a été rendue célèbre par les vers de Ludwig Uhland. Et le château de Lichtenstein a été édifié d'après une description dans le roman du même nom de Wilhelm Hauff. Hauff y avait dépeint le destin d'un duc wurtembergois de façon si saisissante que son descendant se résolut à ériger le château déjà détruit d'après la description du poète.

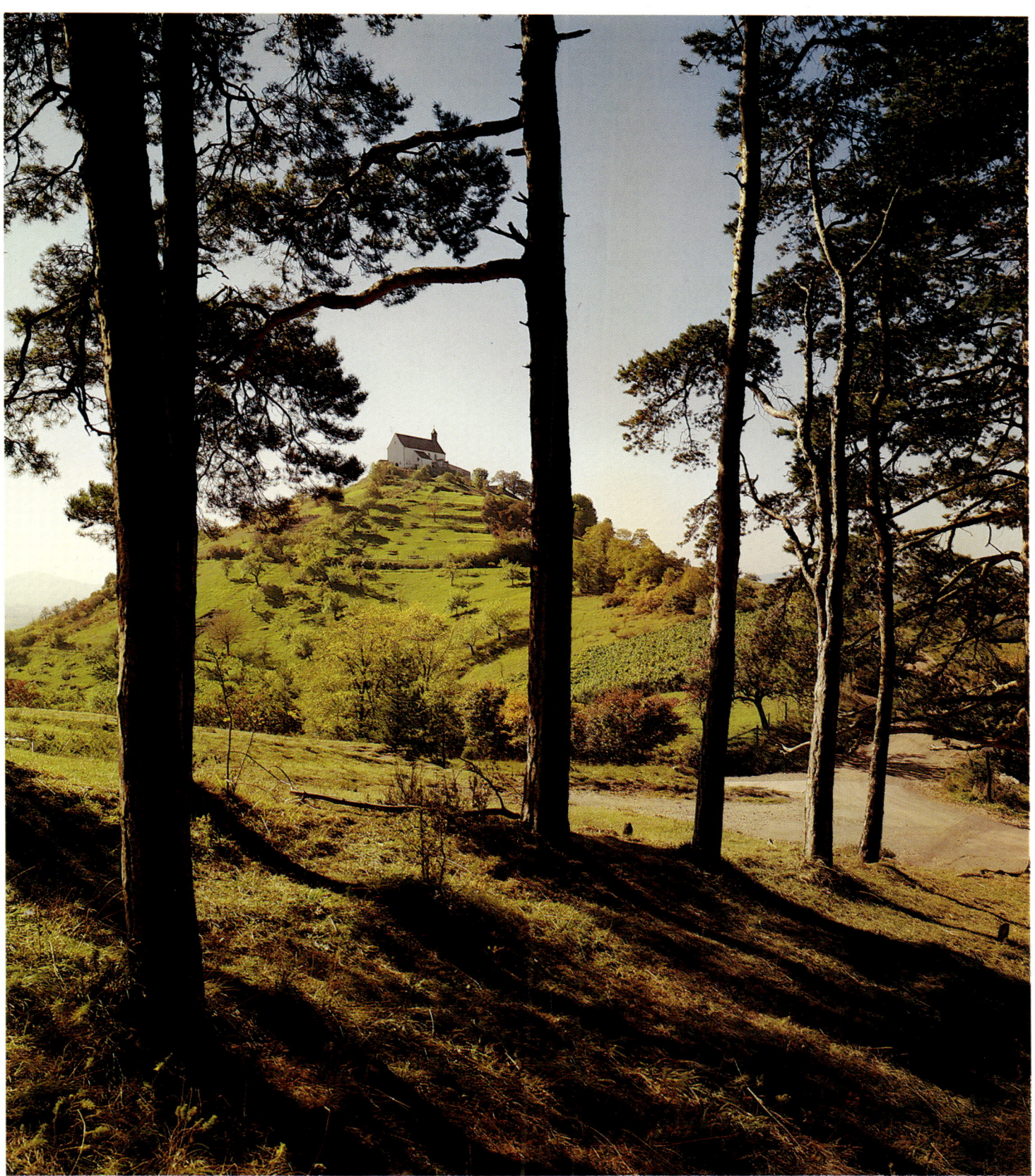

117

▽ Esslingen/Altstadtgasse
Stuttgart/Stiftskirche Hl. Kreuz
Esslingen, die stattliche Bürgerstadt am Neckar, steht heute etwas im Schatten der mächtigen Schwaben- metropole Stuttgart. Das war nicht immer so: „Ezzelingen" erhielt be- reits im Jahre 866 das Marktprivileg zuerkannt. Zu jener Zeit sagten sich wenige Kilometer flußabwärts noch Fuchs und Hase gute Nacht. Der sprichwörtliche schwäbische Fleiß machte Stuttgart später zur pulsie- renden Großstadt, in der zahlreiche Kirchen wie die Stiftskirche (unser Bild) Inseln der Ruhe bilden.

▽ Esslingen/Street in the Old Town
Stuttgart/Collegiate Church of the Holy Cross
Esslingen, the prosperous town on the river Neckar, is now somewhat overshadowed by the nearby Swab- ian metropolis of Stuttgart. This was not always the case: Esslingen was granted market rights as early as 866. At that time Stuttgart was still undeveloped, but the proverbial Swabian diligence later made it into a great city, in which the many churches such as the Collegiate Church shown here form oases of tranquillity.

▽ Esslingen/Une ruelle de la vieille ville
Stuttgart/Collégiale Sainte-Croix
Esslingen, la superbe ville bour- geoise sur le Neckar, est aujourd'hui un peu éclipsée par Stuttgart, la puissante métropole souabe. Mais il n'en fut pas toujours ainsi: «Ezze- lingen» obtint, dès 866, le privilège de tenir marché. A cette époque, à quelques kilomètres en aval du fleuve, on était encore au bout du monde. Avec le temps, le zèle pro- verbial des Souabes a fait de Stutt- gart une grande ville animée où de nombreuses églises, telle la collé- giale (notre photo), constituent autant d'îlots de calme.

◁ **Stuttgart/Rotenberg**
Stuttgart ist Deutschlands „Großstadt zwischen Wald und Reben". Überall an den Hängen der Landeshauptstadt bauen tüchtige „Wengerter" (Weingärtner) den vollmundigen Württemberger an, den die Schwaben ganz allein wegtrinken; nicht aus Geiz, wie böse Zungen behaupten, sondern weil er so gut ist.

◁ **Stuttgart/Rotenberg**
On all the slopes round the capital of Baden-Württemberg the winegrowers produce full-bodied Württemberg wines.

◁ **Stuttgart/Rotenberg**
Sur tous les versants de la capitale du Bade-Wurtemberg, d'excellents vignerons cultivent un vin délicieux.

▷ **Kloster Maulbronn/ Brunnenkapelle**
Die nahezu unverändert gebliebene Klosteranlage beherbergt seit 1557 ein evangelisches Seminar. Hinter den dicken Klostermauern schmachteten auch die beiden Dichter Friedrich Hölderlin und Hermann Hesse. Der Brunnen im Klosterkreuzgang diente den Mönchen zu feierlichen Waschungen vor dem Essen.

▷ **Maulbronn Abbey/Lavabo**
The lavabo in the cloisters of Maulbronn Abbey served the monks as a place for ritual washing.

▷ **Abbaye de Maulbronn/Chapelle à la Fontaine**
La fontaine dans le cloître servait autrefois aux ablutions des moines avant les repas.

Rheinpfalz und Saarland

Eines der größten Weinfeste der Welt ist der Wurstmarkt in Bad Dürkheim an der Deutschen Weinstraße, der sich aus einer Wallfahrt entwickelt hat und auf das Jahr 1417 zurückgeführt werden kann. Zentrum dieses Wurstmarktes ist das große Faß, vermutlich das größte überhaupt. In ihm könnten 1,7 Millionen Liter Wein lagern, wenn – es inzwischen nicht eine Gaststätte mit Platz für 600 Gäste wäre.

Wie in allen deutschen Weinbaugebieten, so wird auch an der Deutschen Weinstraße, die von Bockenheim nach Schweigen an der französischen Grenze führt, fast das ganze Jahr über irgendwo ein Weinfest gefeiert. Doch wenn es wirklich mal gerade keines gibt, dann hockt man sich eben ohne besonderen Anlaß in eine der gemütlichen Weinstuben und genießt den guten Wein.

Dazu muß man aber wissen, daß an der Deutschen Weinstraße besondere Trinksitten herrschen. Dem fremden Gast kann es in einer Gaststube passieren, daß ihm ein Pfälzer unvermittelt ein Glas hinschiebt. Das ist ein Zeichen, daß er am Tisch willkommen ist.

Denn in der Pfalz trinken häufig mehrere gemeinsam aus einem Schoppenglas, wobei hinzugefügt werden sollte, daß dieses in der

The Rhenish Palatinate and Saarland

One of the world's greatest wine festivals takes place in Bad Dürkheim on the German Wine Route: the Sausage Market, which developed out of a pilgrimage, and can be traced back to 1417. The market centres round an enormous barrel, perhaps the largest in existence. It could accomodate no less than 1.7 million litres of wine – had it not been converted into a restaurant (with places for 600 guests).

There always seems to be a wine festival taking place somewhere or other along the German Wine Route – which runs from Bockenheim to Schweigen on the French border. Indeed, the same might be said of all the German wine-growing regions. But on those rare occasions when there really is no festival to attend, comfort is to be found in one of the many cosy wine taverns. Strangers are often pleasantly surprised at one of the customs along the German Wine Route. It can easily happen that a local person will push his glass across the table to you. This is a sign that you are welcome. It is quite common for several people to drink out of one glass in the Palatinate – though it should be added that a standard wine glass takes half a litre in this region. A standard glass in the rest of Germany holds a quarter litre.

Rhénanie-Palatinat et Sarre

Une des plus grandes fêtes du vin au monde est le «Wurstmarkt» (marché aux saucisses) à Bad Dürkheim sur la route allemande du Vin qui s'est développé à partir d'un pèlerinage et dont les origines remontent à 1417. Au centre de ce vieux marché: un immense tonneau, sans doute le plus grand qui existe et qui pourrait contenir 1,7 million de litres de vin si on ne l'avait pas transformé en une taverne qui a de la place pour 600 personnes.

Comme dans toutes les régions viticoles allemandes, il y a presque toute l'année une fête du vin quelque part le long de la route allemande du Vin qui va de Bockenheim à Schweigen à la frontière française. Et si d'aventure il n'y en a pas on va tout simplement dans une des agréables tavernes de la région. Mais il faut savoir qu'il existe des coutumes particulières dans ces coins. C'est ainsi que l'étranger pourra être invité à boire dans le verre d'un consommateur local, signe qu'il est le bienvenu à sa table. Car dans le Palatinat on est toujours à plusieurs à boire dans une chope en verre. Il faut dire que dans cette région la chope contient un demi-litre alors que dans le reste de l'Allemagne la chope n'a qu'un quart de litre.

Toute une série de très belles et

◁ **Speyer/Dom St. Maria und St. Stephan**
Der großartige Kirchenbau am Hochufer des Rheins ist ein Werk der salischen Kaiser und zugleich ihre Grabstätte.

▷▷ **Die Saarschleife bei Mettlach**
Bei Mettlach schlängelt sich die Saar malerisch durch dicht bewaldetes Gebirge. Mühevoll hat sie sich in Jahrmillionen dieses Flußbett hier gegraben.

◁ **Speyer Cathedral**
The magnificent edifice on the Rhine was built by the Salian emperors, and serves as their mausoleum.

▷▷ **The River Saar near Mettlach**
Near Mettlach the Saar winds picturesquely through the heavily wooded hills, following a course which has taken it millions of years to carve through the rock.

◁ **Spire/Cathédrale Ste-Marie et St-Etienne**
Le merveilleux édifice sur la rive gauche du Rhin est l'œuvre des empereurs saliques et en même temps leur dernière demeure.

▷▷ **La boucle de la Sarre près de Mettlach**
Près de Mettlach, la Sarre serpente à travers un paysage pittoresque de collines couvertes de forêts touffues.

Pfalz einen halben Liter Wein faßt. Ein normaler Schoppen in Deutschland ist ein Viertelliter.

Es liegen an der Deutschen Weinstraße eine Reihe sehr schöner alter Städte, und da sind besonders das mittelalterliche Freinsheim zu nennen, das idyllische St. Martin und das fast ein wenig verträumt wirkende Dörrenbach, das sich weit unten an der Deutschen Weinstraße befindet.

Deidesheim, Kallstadt, Wachenheim, Maikammer, Edenkoben – dies sind Orte mit sehenswerten Gassen und Häusern, mit süffigen Weinen vor allem. Und ebenso verdienen es Landau und Neustadt, daß man ihnen einen Besuch abstattet.

Oberhalb Neustadt-Haardt erhebt sich das Haardter Schlößchen, von dem aus man einen weiten Blick über die Pfalz genießen kann, die mit ihren Weingärten und Weindörfern immer wieder an eine toskanische Landschaft erinnert.

Zu einem nationalen Denkmal der Deutschen ist das Hambacher Schloß oberhalb von Neustadt geworden. Es war im Jahre 1832 Schauplatz einer mächtigen Volksbewegung, die als Hambacher Fest in die Geschichte eingegangen ist. Unter schwarzrotgoldenen Fahnen wurde damals von rund 30 000 Menschen, darunter eine Abord-

A whole series of charming old towns is to be found along the German Wine Route. Of particular interest are medieval Freinsheim, idyllic St. Martin, and the almost sleepy-looking Dörrenbach, far down towards the lower end of the Route. Other places of interest and, of course, with excellent wines, are Deidesheim, Kallstadt, Wachenheim, Maikammer, and Edenkoben – as are Landau and Neustadt.

Above Neustadt-Haardt rises Haardt Castle. From here there is an expansive view across the Palatinate which, with its vineyards and wine-growing villages, is reminiscent of Tuscany.

Hambach Castle, above Neustadt, has become something of a German national monument. In 1832 it was the scene of a great popular demonstration, which has gone down in history as the Hambach Festival. It was attended by 30,000 people, including a delegation from Poland, and a call was made for a united free Germany and a united Europe. President Ronald Reagan addressed a youth rally there during his state visit to West Germany in May 1985. Hambach Castle has been renovated, and houses assembly rooms and a museum. And it provides the opportunity of combining two delights: an impressive view taken

vieilles villes allemandes sont situées sur la route allemande du Vin; il faut citer en particulier la cité médiévale de Freinsheim, l'idyllique St-Martin et le village à l'aspect quelque peu endormi de Dörrenbach vers le terminus de la route allemande du Vin. Deidesheim, Kallstadt, Wachenheim, Maikammer et Edenkoben, ce sont là des localités dotées de ruelles et de maisons pittoresques et surtout de vins délicieux. Au même titre, Landau et Neustadt méritent une visite.

Au-dessus de Neustadt-Haardt se dresse le petit château de Haardt d'où l'on jouit d'une belle vue sur le Palatinat qui, avec ses vignobles et ses villages viticoles, rappelle la Toscane.

Le château de Hambach, au-dessus de Neustadt, est devenu comme un monument national allemand. Il fut le théâtre, en 1832, d'une importante manifestation populaire qui est entrée dans l'histoire sous le nom de fête de Hambach. Devant environ 30 000 personnes, dont une délégation polonaise, un appel fut lancé à l'unité nationale allemande, à l'établissement d'une constitution démocratique et républicaine et à l'unité de l'Europe.

Le château de Hambach a été restauré. Il renferme des salles de réunion et un musée et on peut égale-

▷ **Pfälzer Impressionen**
Weinlese
Die Neustädter Weinkönigin
Weinkeller
Fischerstechen in Worms

▷ **Impressions of the Palatinate**
Grape harvest
The Neustadt Wine Queen
Wine cellar
Fishermen's contest in Worms

▷ **Impressions du Palatinat**
Vendange
La reine du vin de Neustadt
Une cave
Joute de pêcheurs à Worms

nung aus Polen, der Wunsch der Deutschen nach einem vereinigten und freien Vaterland sowie nach einem einigen Europa zum Ausdruck gebracht.

Das Hambacher Schloß wurde inzwischen restauriert. Darin befinden sich Versammlungsräume und ein Museum. Außerdem kann man dort oben – bei eindrucksvoller Aussicht – einen guten Wein genießen.

Am südlichen Ende der Deutschen Weinstraße liegt das Deutsche Weintor, in dessen unmittelbarer Nachbarschaft sich ein sehr gut gestalteter Weinlehrpfad befindet. Auf ihm wird auch das Unwesen der Reblaus demonstriert, die im vorigen Jahrhundert von Amerika nach Europa eingeschleppt wurde und fast alle Weinstöcke vernichtete. Heute schützt man sich vor ihr, indem man die deutschen Reben auf gegen die Reblaus immune amerikanische Rebstöcke aufpfropft.

Es gibt übrigens, das sei am Rande vermerkt, einen sehr reizvollen Wanderweg oberhalb der Deutschen Weinstraße, der am Pfälzer Wald entlang durch die Weinberge führt – und selbstverständlich auch vorüber an vielen gemütlichen Weinstuben.

Zum Wein aber fährt man auch an die Saar, wo die spritzigen Rieslinge

with an excellent glass of wine. At the southern end of the German Wine Route is the German Wine Gate, right next to which an interesting demonstration wine route has been set up. On it, for example, the dreaded phylloxera and its effects are shown – the vine louse that was introduced to Europe from America in the last century and which destroyed practically all of Europe's vines. Protection is obtained today by grafting German vines onto phylloxera-resistant American root-stocks.

There is, by the way, a very charming hiking route above the German Wine Route, passing through the vineyards along the edge of the Palatinate Forest, and also, of course, past many an inviting wine tavern.

But the River Saar, too, has plenty to offer in the way of wine, in particular refreshing Rieslings, which are among the best wines obtainable in Saarbrücken, the capital of Saarland. The traditional place to drink it is around St.-Johanner-Markt, a particularly picturesque corner of the old part of town.

Collectors of curiosities will want to go to see the Gollenstein, near Blieskastel. The Gollenstein is a 23 ft. menhir – reputed to be the tallest in central Europe. Menhir is a Celtic

ment y savourer un bon verre de vin tout en contemplant un merveilleux panorama.

A l'extrémité sud de la route allemande du Vin se trouve le Weintor (porte du Vin) à la droite duquel on a aménagé un sentier instructif du vin qui montre par exemple les ravages causés par le phylloxéra. Cet insecte venu d'Amérique a été introduit le siècle dernier en Europe où il détruisit presque tous les ceps de vigne. On s'en protège aujourd'hui en greffant sur les ceps allemands des ceps américains immunisés contre le phylloxéra.

Il faut mentionner par ailleurs un ravissant chemin de randonnée au-dessus de la route allemande du Vin. Longeant la forêt du Palatinat, il mène à travers les vignobles et passe bien sûr devant de nombreuses tavernes.

La Sarre offre également d'excellents vins dont de pétillants rieslings que l'on peut aller déguster à Sarrebruck, la capitale sarroise. On fera bien pour cela de se rendre au marché St-Jean, un coin particulièrement pittoresque du vieux Sarrebruck.

Non loin de Blieskastel, on peut admirer une curiosité: le Gollenstein, un menhir de sept mètres de haut qui passe pour être le plus haut d'Europe centrale. Menhir est un

▷ **Mettlach/Alter Turm der ehemaligen Abtei**
Bereits im Jahre 695 gründete der Frankenfürst Liutwin das Benediktinerkloster, dem er selbst als Mönch beitrat. Bald darauf wurde er dessen Abt, schließlich Erzbischof von Trier. Gegen Ende des 10. Jahrhunderts ließ einer seiner Nachfolger, Abt Lioffin, den Alten Turm als Grabstätte für den frommen Mann errichten.

▷ **Mettlach/Tower of the former abbey**
The Franconian Prince Liutwin founded the Benedictine Abbey as early as 695, and then entered it as a monk. Soon afterwards he became abbot, and then archbishop of Trier. Towards the end of the 10th century, one of his successors, Abbot Lioffin, had the old tower erected as a tomb for the founder.

▷ **Mettlach/La Vieille Tour de l'ancienne abbaye**
Dès 695, le prince franc Liutwin fonda l'abbaye bénédictine où il entra comme moine. Peu après, il en devint l'abbé et finalement fut archevêque de Trèves. Vers la fin du Xe siècle, son successeur, l'abbé Lioffin, fit ériger la Vieille Tour pour servir de sépulture au saint homme.

wachsen. Es sind mit die besten, die in der saarländischen Hauptstadt Saarbrücken ausgeschenkt werden – vor allem am St.-Johanner-Markt, einem besonders idyllischen Winkel in der Altstadt.

Eine Merkwürdigkeit gibt es unweit von Blieskastel zu bestaunen: den sieben Meter hohen Gollenstein. Er sei, so heißt es, der größte Menhir in Mitteleuropa. Das Wort Menhir kommt aus dem Keltischen und heißt langer Stein.

Der Gollenstein ist ein Monolith aus der jüngeren Steinzeit. Er hatte einst eine kultische Bedeutung. Nicht selten ranken sich Legenden um diese Steinblöcke, die in Deutschland als Hinkelsteine bezeichnet werden. So heißt es vom Gollenstein, er sei der Wetzstein des Riesen Goliath gewesen. Später, im Mittelalter, haben sich die Christen des Steines angenommen und ihn mit einem christlichen Symbol versehen.

word, meaning long stone. The Gollenstein, dating from the early Stone Age, once had a cultic significance. There are often legends attached to such menhirs. It is said of the Gollenstein, for example, that it was once Goliath's whetstone. Later, in the Middle Ages, the Christians took over the stone and decorated it with a Christian symbol.

mot celte qui signifie pierre allongée.

Le Gollenstein est un monolithe du début de l'âge de pierre et avait autrefois une signification cultuelle. Ces menhirs sont souvent entourés de légendes. On dit ainsi du Gollenstein qu'il fut la pierre à aiguiser du géant Goliath. Par la suite, au moyen âge, les chrétiens ont adopté la pierre et l'ont décorée de symboles chrétiens.

▷ **Arnstein an der Lahn**
Die Ufer der Lahn werden von zahlreichen Kirchenbauten gesäumt. Zu den ältesten zählt Kloster Arnstein, das der letzte Graf von Arnoldstein oder Arnstein im 12. Jahrhundert in seiner Burg gründete.

▷ **Arnstein on the Lahn**
There are many ecclesiastical buildings along the banks of the Lahn. One of the oldest is Arnstein Abbey, which was founded by the last count of Arnoldstein in his castle in the 12th century.

▷ **Arnstein sur la Lahn**
Les rives de la Lahn sont bordées de nombreux édifices religieux. Parmi les plus anciens figure le couvent d'Arnstein que le dernier comte d'Arnoldstein ou Arnstein fonda dans son château au XIIᵉ siècle.

◁ Bad Ems an der Lahn

Das alte Heilbad im engen Lahntal schmiegt sich an die Höhen von Westerwald und Taunus. Im 19. Jahrhundert war es zur schicken Kurstadt avanciert, in der sich die vornehme Welt Europas ein Stelldichein gab. Bisweilen mit weitreichenden Konsequenzen: Auf der Kurpromenade von Bad Ems fand jenes Gespräch zwischen König Wilhelm von Preußen und dem französischen Botschafter Benedetti statt, das zur „Emser Depesche" Bismarcks und damit zur Kriegserklärung Frankreichs führte.

◁ Bad Ems on the Lahn

The old spa is built in the narrow valley of the Lahn between the Westerwald and Taunus hills. In the 19th century it developed into a fashionable watering place for Europe's high society. This sometimes had far-reaching consequences – as, for example, when King William of Prussia conversed with the French ambassador, M. Benedetti on the Promenade in Ems, and the conversation led to Bismarck's "Ems Telegram" and subsequently to the declaration of war by France.

◁ Bad Ems sur la Lahn

Au XIXe siècle, l'ancienne ville d'eau était devenue une élégante station thermale où la haute volée se donnait rendez-vous. Ce qui eut parfois d'importantes conséquences: c'est sur la promenade de Bad Ems qu'eut lieu le fameux entretien entre le roi Guillaume de Prusse et l'ambassadeur de France, le comte Benedetti, qui aboutit à la «dépêche d'Ems» et ainsi à la déclaration de guerre de la France.

Rhein-Main-Gebiet und Hessen

The Rhine-Main Region and Hesse

La région du Rhin et du Main et la Hesse

Jenes Frankfurt mit seinen schmalen Gassen und kleinen Häusern, das Johann Wolfgang von Goethe in seinen Erinnerungen „Dichtung und Wahrheit" so eindrucksvoll geschildert hat, gibt es nicht mehr. Auch das behagliche Vaterhaus des Dichters, das nach dem Zweiten Weltkrieg wieder aufgebaut und mit den alten – zum Glück geretteten – Möbeln ausgestattet wurde, steht inmitten von Beton- und Glaspalästen ein bißchen fremd und verloren in der Frankfurter Stadtlandschaft. In Frankfurt, darüber besteht kein Zweifel, laufen die Fäden der deutschen Wirtschaft zusammen. Und das nicht erst seit Bestehen der Bundesrepublik Deutschland. Entwickelt hat sich der Ort aus einer günstigen Lage am Main. Da war eine Furt, eine seichte und leicht begehbare Stelle im Strom, die von den Händlern wie auch vom Kriegsvolk benutzt wurde. Der Platz verlockte zum Siedeln. Mit Reisenden waren schon immer gute Geschäfte zu machen. Was früher die Furt für die Stadt bedeutete, sind heute die Autobahnen, der Eisenbahnknotenpunkt, der Rhein-Main-Flughafen, der zu den größten und bedeutendsten in Europa gehört.

Das Frankfurt von heute aber mit seinem Beton- und Glaspanorama

The Frankfurt of narrow lanes and small houses, so vividly described by Goethe in his memoirs "Dichtung und Wahrheit" has gone. And the comfortable house in which he was born, which was reconstructed after the Second World War, and is even fitted out with the old furniture – happily saved from destruction – really looks slightly out of place among the concrete and glass structures that make up the modern Frankfurt townscape.

Frankfurt is undoubtedly the focal point of the German economy, and was so long before the foundation of the present Republic. The city developed round a favourable spot on the River Main, where a ford made crossing easy for both merchants and armies. The site was ideal for a trading settlement, for travellers have always brought business with them. The modern equivalents of the ancient ford are the motorways, the railway junction, and the Rhein-Main Airport, which is one of the most important in Europe.

But the Frankfurt of today does not consist only of concrete and glass. There is another side to this city, as is illustrated by the continued use of the ancient building called the "Römer" – in which emperors and kings have been received – as the Frankfurt town hall.

Le Francfort aux ruelles étroites et aux petites maisons qu'a si bien décrit Gœthe dans ses mémoires «Poésie et vérité» n'existe plus. Et la confortable maison où il est né, qui fut reconstruite après la deuxième guerre mondiale et meublée avec les anciens meubles et objets – qui avaient fort heureusement pu être sauvés de la destruction – semble quelque peu anachronique au milieu des immeubles de verre et de béton du Francfort moderne.

Francfort est incontestablement le centre de l'économie allemande et ceci pas seulement depuis la création de la République fédérale d'Allemagne.

La ville s'est développée à partir d'une situation favorable sur le Main. Un gué naturel permettait le passage des marchands comme des armées. L'endroit était propice à l'établissement d'une colonie car les voyageurs ont toujours été une source de négoce. De nos jours, les autoroutes, le nœud ferroviaire, l'aéroport Rhein-Main, qui compte parmi les plus grands et les plus importants d'Europe, sont à la ville ce qu'était autrefois pour elle le gué.

Mais le Francfort moderne, avec sa silhouette de béton et de verre n'est qu'un aspect de la ville où l'hôtel de ville se trouve dans le Römer, qui accueillit jadis empereurs et rois.

◁ **Dietkirchen an der Lahn/ Stiftskirche**
Als ob sie aus dem Kalksteinfelsen emporgewachsen wäre, so fest ruht die ehemalige Stiftskirche St. Lubentius und Juliana darauf und krönt wie eine Gottesburg das Lahntal. Die romanische Kirche wurde auf älteren Fundamenten in Abschnitten vom 11. bis zum frühen 13. Jahrhundert errichtet und ist doch wie aus einem Guß.

◁ **Dietkirchen on the Lahn/ Collegiate Church**
The former Collegiate Church of St. Lubentius and St. Juliana looks as if it had grown out of the living rock on which it stands like a celestial castle above the River Lahn. The Romanesque church is homogeneous in style although it was built over a period of two centuries.

◁ **Dietkirchen sur la Lahn/ Collégiale**
L'ancienne collégiale St-Lubentius et Juliana semble avoir poussé du rocher calcaire et, tel un château de Dieu, couronne la vallée de la Lahn. Bien qu'édifiée sur d'anciennes fondations en plusieurs tranches, du XIe siècle au début du XIIIe siècle, elle paraît faite d'un bloc.

◁ **Kassel/Löwenburg**

Das phantastische Arrangement der Wilhelmshöhe hat in der Löwenburg des Kurfürsten Wilhelm seinen Schluß- und Höhepunkt gefunden. Ganz im Stile der Romantik wurde die Burganlage von vornherein als Ruine errichtet. Die Gemächer waren jedoch reich ausgestattet, so daß es Wilhelm an nichts mangelte, wenn er sich in der Burg zu einem vorübergehenden Eremitendasein verkroch.

◁ **Kassel/Löwen Castle**

The fantastic park of Wilhelmshöhe with all its buildings finds its culmination in the Löwen Castle, built by Elector Wilhelm at the end of the 18th century in the romantic manner as a ruin. The interior, however, was richly furnished, so that Wilhelm lacked nothing when he retired on occasion to the castle as a temporary hermit.

◁ **Kassel/Löwenburg**

L'aménagement fantastique du quartier de Wilhelmshöhe a trouvé son parachèvement dans le Löwenburg construit par le prince-électeur Guillaume IX. Dès le départ, le château a été construit tout à fait dans le style romantique comme ruine. Les appartements étaient toutefois somptueusement installés de sorte que Guillaume ne manquait de rien lorsqu'il se retirait dans le château pour y mener momentanément une vie d'ermite.

135

ist nur die eine Seite dieser Stadt, deren Stadtobere immer noch in jenem Römer residieren, in dem schon Kaiser und Könige empfangen wurden.

Der Römer ist unter den Rathäusern deutscher Städte ein Unikum. Denn die Frankfurter haben sich – auch in ihren wirtschaftlich besten Zeiten – niemals entschließen können, ein repräsentatives Rathaus zu bauen. Sie beließen es dabei, Bürgerhäuser aufzukaufen und sie miteinander zu verbinden. Urzelle dieses Rathauses, das sich schließlich aus acht Häusern zusammensetzte, waren das Haus „Zum Römer" von 1322 und das Haus „Zum Goldenen Schwan". Der Römer wurde im Jahre 1944 schwer beschädigt, sieben Jahre später nach alten Plänen wieder aufgebaut. Nur im Innern wurde die Raumeinteilung nach neuen Gesichtspunkten vollzogen. Unter den Kirchen nehmen der Dom, Krönungskirche der Deutschen Kaiser bis zum Ende des Heiligen Römischen Reiches Deutscher Nation im Jahre 1806, und die Paulskirche, in der 1848 das erste deutsche Parlament tagte, eine dominierende Stellung ein. Das Senckenbergmuseum gilt als das größte naturkundliche Museum in Deutschland. Sehenswert sind der

The Römer is unique among the German town halls, because not even during their most prosperous times have the people of Frankfurt been able to bring themselves to build a prestigious town hall. They have restricted themselves to buying up houses and connecting them up with one another. The core of the Römer, which in the course of time embraced eight different houses, was formed by the Haus Zum Römer, of 1322, and the Haus Zum Goldenen Schwan. The Römer was badly damaged in 1944, but rebuilt according to the old plans seven years later. Only the interior has been adapted to the requirements of the modern age. Among the churches, the Cathedral, in which the German emperors were crowned until the end of the Holy Roman Empire in 1806, and St. Paul's Church, in which the first German Parliament met in 1848, are the most important. The Senckenberg Museum is the largest natural history museum in Germany, and the Palm Gardens and Zoological Gardens are also well worth visiting. The world-famous "Fressgass" (gourmet's alley) in the town centre looks after the visitor's inner man. Here the local cider is the most popular drink, although the connoisseur goes to Sachsen-

Le Römer est unique parmi les hôtels de ville allemands. Car les Francfortois, même au cours de leurs périodes les plus prospères, n'ont jamais pu se résoudre à construire un hôtel de ville. Ils se contentèrent d'acheter des maisons bourgeoises et de les réunir entre elles. Le noyau de cet hôtel de ville, qui a fini par se composer de huit maisons, était constitué par la maison «Zum Römer», de 1322, et la maison «Zum Goldenen Schwan». En 1944, le Römer a été gravement endommagé mais reconstruit sept ans plus tard selon les anciens plans. A l'intérieur toutefois la distribution des pièces a été faite en fonction des exigences modernes. Parmi les églises, la cathédrale, où furent couronnés les empereurs du Saint Empire romain germanique jusqu'en 1806, et l'église St-Paul où se réunit le premier Parlement allemand en 1848, occupent une place dominante. Le musée Senckenberg passe pour être le musée d'histoire naturelle le plus important d'Allemagne. Il faut également voir le Palmengarten, le jardin botanique avec ses serres de palmiers ainsi que le jardin zoologique. La «Fressgass» mondialement célèbre est, dans le centre de la ville, la rue réservée aux plaisirs de la table et où l'on boit du cidre. Les meilleurs cidres de la

◁ **Idstein im Taunus/Obergasse**
Die Hessen waren Meister im Fachwerkbau. Zeugnisse ihrer Kunst finden sich allerorten in diesem Land. Die Obergasse im Taunusstädtchen Idstein hat uns mit ihren prächtigen Häusern sogar ein einheitliches Straßenbild aus dem 17. und 18. Jahrhundert bewahrt.

◁ **Idstein in the Taunus/Obergasse**
The Hessians were masters at half-timbering; many buildings scattered through the countryside still testify to this. Obergasse, in the little town of Idstein in the Taunus, is a street which was built in the 17th and 18th centuries and which has been preserved intact to the present day.

◁ **Idstein dans le Taunus/ Obergasse**
Les Hessois étaient passés maîtres dans l'art du colombage. On en trouve des témoignages dans toute cette région. Avec ses magnifiques maisons, l'Obergasse, dans la petite ville d'Idstein, a même gardé l'aspect unitaire d'une rue des XVIIe et XVIIIe siècles.

Palmengarten und der Zoologische Garten, und fürs leibliche Wohl sorgt die weltberühmte Freßgass' in der Innenstadt. Noch berühmter freilich sind die Äppelwoikneipen in Sachsenhausen, wo es den guten Apfelwein zu trinken gibt.

Frankfurt ist ohne Frage die bedeutendste Stadt in Hessen. Aber die Hauptstadt dieses Bundeslandes ist es nicht. Diese Ehre kommt Wiesbaden zu, einst eine wichtige Römersiedlung, geschätzt vor allem wegen ihrer warmen Heilquellen. Später befand sich dort ein karolingischer Königshof, und seit dem 13. Jahrhundert residierten hier die Grafen von Nassau.

Wiesbaden gehört mit seinen Kuranlagen aus dem beginnenden vorigen Jahrhundert, mit seinem Schloß, in dem heute der Hessische Landtag zusammentritt, mit den Kirchen und Kapellen, darunter die Griechische Kapelle auf dem Neroberg, und mit seinen klassizistischen Wohnbauten zu jenen Städten, die dem Fremden die Stimmung eines heiteren Ferientags vermitteln.

Eines der gewaltigsten und ehrwürdigsten deutschen Baudenkmäler ist der Dom St. Martin und St. Stephan in Mainz. Er war die Kirche der Erzkanzler des alten Reiches, und der Besucher ist vor allem beeindruckt

hausen to sample this speciality of the region.

Frankfurt is certainly the most important town in Hesse, but it is not the capital. This honour is reserved for Wiesbaden, once a large Roman settlement, prized for its warm springs. Later it was the site of a Carlovingian royal court, and since the 13th century it has been the residence of the Counts of Nassau. With its spa buildings from the beginning of the last century, its palace, in which the Hessian Diet now meets, its churches and chapels, including the Greek Chapel on Neroberg, and its classicist houses, Wiesbaden is one of those towns that succeeds in putting its visitors in a real holiday mood.

One of Germany's greatest and most venerable buildings is the Cathedral of St. Martin and St. Stephen in Mainz. It was the church of the archchancellors of the old Empire. The many magnificent tombs of archbishops and bishops form one of the cathedral's most impressive features. But Mainz also has other things to offer. Its fortifications, for example, and the former Electoral Palace, and, in particular, the former mansions of the aristocracy, some of which have been preserved, such as the more recent Dalberger Hof, built 1715–1718.

région se dégustent toutefois dans le quartier de Sachsenhausen.

Francfort est certainement la ville la plus importante de Hesse mais elle n'en est pas la capitale. Cet honneur revient à Wiesbaden, ancienne colonie romaine importante appréciée pour ses sources d'eau chaude. Ce fut ensuite une cour royale carolingienne et, depuis le XIIIᵉ siècle, elle a été la résidence des comtes de Nassau.

Avec ses installations de cure qui datent du début du siècle précédent, son château où se réunit aujourd'hui le Parlement du Land, ses églises et ses chapelles, dont la chapelle grecque sur le Neroberg, et ses édifices classiques, Wiesbaden est une ville capable de mettre le visiteur de cette belle humeur propre aux vacances.

Un des édifices les plus imposants et les plus vénérables d'Allemagne est la cathédrale Saint-Martin-et-Saint-Etienne à Mayence.

Ce fut l'église de l'archichancelier du Saint Empire et le visiteur est particulièrement impressionné par le grand nombre de magnifiques sarcophages d'archevêques et d'évêques.

Outre la cathédrale et d'autres églises remarquables, il ne faut oublier ni les fortifications ni l'ancien château des princes-électeurs. Mais

◁ **Blick von der Ruine Gleiberg zum Vetzberg**

Die beiden Burgruinen aus dem hohen Mittelalter, auf gegenüberliegenden Bergkegeln errichtet, schauen weit in die nordhessische Landschaft. Die Burgen beherbergten einst Raubritter, die Tal und Weg nicht aus den Augen ließen und so manchen friedlichen Reisenden um seine Barschaft erleichterten.

◁ **View from the ruins of Gleiberg to Vetzberg**

The two ruined castles, built in the high Middle Ages on adjacent hills, are vantage points for extensive views of the Hessian countryside. The castles once belonged to robber knights who lived on the spoils taken from peaceful travellers on the roads beneath.

◁ **Vue de la ruine de Gleiberg sur le Vetzberg**

Les ruines des deux châteaux du haut moyen âge, édifiés sur deux cônes montagneux en Hesse septentrionale, dominent la campagne. Les châteaux abritaient autrefois des chevaliers pillards qui surveillaient attentivement la vallée et les chemins alentour et dévalisèrent ainsi plus d'un paisible voyageur.

von den vielen prächtigen Sarkophagen der Erzbischöfe und Bischöfe.

Neben dem Dom und anderen sehenswerten Kirchen sollten aber weder die erhalten gebliebenen Befestigungen vergessen werden noch das ehemalige kurfürstliche Schloß. Vor allem aber sind die einstigen Adelshöfe zu nennen, von denen einige die Zeiten überdauert haben, so zum Beispiel der jüngere Dalberger Hof aus den Jahren 1715 bis 1718.

Trotz der Zerstörungen im Zweiten Weltkrieg stehen noch viele herrschaftliche Bürgerhäuser, darunter das Haus „Zum Römischen Kaiser". Es wurde in den Jahren nach dem Dreißigjährigen Krieg erbaut. Heute ist es Teil des Gutenbergmuseums, in dem wertvolle Exponate des Wirkens von Johannes Gutenberg gezeigt werden, dem berühmten Sohn der Stadt und Erfinder der Buchdruckerkunst.

Mainz ist die Metropole des Bundeslandes Rheinland-Pfalz. Es ist eines der Zentren des deutschen Weines. Mainz ist auch eine Hochburg des Karnevals. Die Mainzer Fasenacht gehört zu den prächtigsten, farbenfrohesten und sicherlich auch fröhlichsten Veranstaltungen dieser Art in Deutschland.

Many patrician burghers' houses luckily survived the destruction of the Second World War. One of them is the Haus Zum Römischen Kaiser, which was built shortly after the end of the Thirty Years' War. Today it forms part of the Gutenberg Museum which houses some valuable items illustrating the work of Johannes Gutenberg, one of the town's most famous sons, who invented printing. Mainz is particularly proud of the draw-well on the market-square. Dating back to 1526, it is the oldest and finest Renaissance well in Germany.

Mainz is the capital of Rhineland-Palatinate, one of West Germany's federated states, and is one of the centres of German wine. The city is also the scene of some of the most dazzling and colourful carnival events in Germany, attended by many thousands, and enjoyed vicariously on German television by millions more.

il convient surtout de mentionner les anciennes maisons de l'aristocratie, ainsi par exemple le Dalberger Hof, un hôtel bâti entre 1715 et 1718.

De nombreuses maisons bourgeoises ont survécu aux destructions de la deuxième guerre mondiale. Ainsi la maison «Zum Römischen Kaiser», construite après la guerre de trente ans et qui fait partie aujourd'hui du musée Gutenberg où sont exposés des trésors illustrant l'œuvre de Johannes Gutenberg, le plus célèbre fils de la ville et inventeur de l'imprimerie.

Mayence s'enorgueillit d'une fontaine qui décore la place du Marché et qui, datant de 1526, est la plus ancienne et la plus jolie fontaine Renaissance d'Allemagne. Mayence est la métropole du Land de Rhénanie-Palatinat et une des capitales viticoles d'Allemagne. C'est aussi un haut-lieu du carnaval dont les festivités sont parmi les plus joyeuses en Allemagne et attirent chaque année des milliers de personnes.

◁ **Schloß Fürstenau bei Michelstadt**
Wer den Namen Michelstadt hört, denkt an das malerische Rathaus. Dabei liegt gleich in der Nähe ein nicht minder sehenswertes Gebäude: das Wasserschloß Fürstenau, das im ausgehenden 16. Jahrhundert zu einer beeindruckenden Renaissanceanlage umgestaltet wurde.

◁ **Fürstenau Castle, near Michelstadt**
When they hear the name Michelstadt, most people think of its picturesque town hall. And yet nearby there is a no less interesting building: the moated Fürstenau Castle, which was converted into an impressive Renaissance palace towards the end of the 16th century.

◁ **Château de Fürstenau près de Michelstadt**
Quand on parle de Michelstadt, on pense à son ravissant hôtel de ville. Et pourtant, tout près, il y a un édifice non moins intéressant: le castel d'eau de Fürstenau qui a été transformé, à la fin du XVIᵉ siècle, en une construction de style Renaissance impressionnante.

Hessische Äbbelwoi-Impressionen

Cider: the regional speciality of Hesse

Impressions sur le cidre de Hesse

▷ Frankfurt am Main/Römer

Der dreigieblige Römer ist heute das Rathaus der Stadt. In seinen größten Stunden aber erlebte er Zusammenkünfte, die weit über die Grenzen Frankfurts hinaus Bedeutung für das ganze Deutsche Reich hatten. Die oft langwierigen Verhandlungen vor der Wahl des Kaisers fanden im Sitzungssaal statt, die feierlichen Krönungsbankette dann im Kaisersaal, in dem auch die Porträts aller deutschen Kaiser hängen.

▷ Frankfurt on the Main/Römer

The three-gabled Römer is the city's town hall now. But in its heyday it hosted assemblies whose importance extended far beyond the town's borders to the whole of the Holy Roman Empire. The often tedious negotiations before a new emperor was elected took place in the Assembly Room, and the coronation banquet was held in the Imperial Hall, in which the portraits of all the German emperors of the Holy Roman Empire are to be seen.

▷ Francfort-sur-le-Main/Le Römer

Le Römer aux trois pignons est aujourd'hui l'hôtel de ville de Francfort. A ses heures de gloire toutefois, il a été le théâtre de rencontres dont l'importance dépassait le cadre de la ville de Francfort et engageait l'avenir de tout l'Empire allemand. Les pourparlers, souvent longs, avant l'élection de l'empereur se déroulaient dans la salle de séance, le banquet du couronnement avait ensuite lieu dans la salle des Empereurs où se trouvent également accrochés les portraits de tous les empereurs allemands.

▽ **Mainz**

„Der Anblick des Rheins und die Gegend umher ist freilich etwas einzig Schönes", schrieb Goethe im Sommer 1814 während eines Aufenthaltes in Mainz. Und noch heute ist man tief beeindruckt vom Panorama der vieltürmigen, 2000jährigen Stadt am Strom. Wie ein Steingebirge überragt der riesige Dom die ihn umdrängenden Gebäude.

▽ **Mainz**

"The view of the Rhine and the surrounding area is certainly uniquely beautiful", wrote Goethe during a stay in Mainz in 1814. And the panorama of the many-towered, 2000-year-old city on the river is still exceedingly impressive. The huge cathedral rises above the surrounding buildings like a mountain massif.

▽ **Mayence**

«La vue du Rhin et la région alentour est évidemment d'une beauté unique» écrivait Gœthe, en été 1814, lors d'un séjour à Mayence. Et, aujourd'hui encore, on est profondément impressionné par le panorama de la ville bimillénaire aux nombreuses tours sur les bords du fleuve. Tel un massif de pierre, l'immense cathédrale domine les bâtiments qui l'entourent.

▽ **Wiesbaden**

Der harmonischen Verbindung von klassizistischer und moderner Architektur, die dem Staatstheater sein charakteristisches Gepräge verliehen hat, kommt für Wiesbaden eine fast symbolische Bedeutung zu. Das 19. Jahrhundert brachte der Stadt den langersehnten Aufschwung, denn der Regierungssitz für das Herzogtum Nassau wurde hierher verlegt und die Kuranlagen mit ihrer weltberühmten Spielbank zogen die feine Gesellschaft an.

▽ **Wiesbaden**

The harmonious combination of classicist and modern architecture which gives the State Theatre its characteristic appearance is almost symbolic for Wiesbaden. The 19th century brought the town its long-awaited boom when the seat of the government of the Dukedom of Nassau was transferred here and the spa amenities with the world-famous casino attracted international high society.

▽ **Wiesbaden**

Le mélange harmonieux d'architecture néo-classique et moderne, qui caractérise le théâtre de la ville, fait presque figure de symbole pour Wiesbaden. Le XIXᵉ siècle apporta à la ville l'essor tant attendu, car le siège du gouvernement du duché de Nassau y fut transféré et la station de cure avec son célèbre casino attira le grand monde. Environ cent ans plus tard, Wiesbaden devint même la capitale du Land de Hesse.

An Rhein und Mosel

„Ein Märchen aus uralten Zeiten, das kommt mir nicht aus dem Sinn", heißt es in dem weltbekannten Gedicht von Heinrich Heine. Darin wird die Geschichte der Loreley erzählt, jener schönen Jungfrau, die auf einem Felsen am Rhein sitzt, ihr goldenes Haar kämmt und ein wundersames Lied singt, so daß die Schiffer, von wildem Weh ergriffen, nicht mehr auf Strom und Steuer achten und zusammen mit ihren Schiffen von den Wellen verschlungen werden.

Die Geschichte hat Millionen von Menschen in tiefster Seele gerührt. Und bis auf den heutigen Tag gehört der Loreleyfelsen bei St. Goarshausen zu den berühmtesten Sehenswürdigkeiten Deutschlands.

Doch genaugenommen gilt dieser Superlativ für den ganzen Rhein mit seinen Burgen, den Weinbergen, den idyllischen Weinorten und den weinfrohen Menschen, deren Treffpunkt vor allem die bunte Drosselgasse in Rüdesheim ist.

Der Rhein ist 1320 Kilometer lang, 867 Kilometer davon fließt er durch deutsches Gebiet. Viel Schicksalhaftes ist von diesen 867 Kilometern ausgegangen – für Deutschland, auch für Europa.

Die Nibelungen, jenes sagenumwobene Heldengeschlecht aus grauer

Along the Rhine and Moselle

It was Heinrich Heine's poem "Die Lorelei" which first made the Lorelei promontory by the River Rhine famous. In it he tells of the Lorelei, a siren who sits on the rock combing her golden hair and singing a strange song which fills boatsmen with such a wild feeling of longing that they are lured to their destruction, and swallowed up with their boats by the waters.

The story has deeply touched millions of people, and the Loreley near St. Goarshausen is still one of Germany's most popular sights. But, of course, this popularity is extended to the whole of the Rhine, with its castles, vineyards, idyllic wine towns and villages – and wine lovers, one of whose meeting places is the picturesque street called Drosselgasse in Rüdesheim.

The Rhine is not only one of Europe's most beautiful rivers but also one of its historically most important. It has twin sources in the Grisons region in Switzerland, flows through Lake Constance, and turns north at Basle.

For long stretches the Upper Rhine marks the border between Germany and France. The Middle Rhine might be called the most German of all rivers. The Lower Rhine enters Holland, where it splits up into a number of estuaries.

Sur les bords du Rhin et de la Moselle

Chantée par Henri Heine dans son célèbre poème, la Loreley est une sirène qui, assise sur une falaise au bord du Rhin, peigne ses cheveux d'or et chante un chant si beau qu'en l'entendant les bateliers oublient de diriger leur bateau et vont faire naufrage sur les rochers. L'histoire a bouleversé des millions de gens et jusqu'à maintenant le rocher de la Loreley près de St-Goarshausen fait partie des curiosités les plus célèbres d'Allemagne.

A vrai dire, le Rhin tout entier est également célèbre grâce à ses châteaux, ses vignobles, ses localités viticoles idylliques et ses amateurs de bons vins dont un lieu de rencontre privilégié est la pittoresque et colorée Drosselgasse (ruelle aux Grives) à Rüdesheim.

Le Rhin n'est pas seulement l'un des plus beaux fleuves d'Europe, c'est aussi l'un des plus importants sur le plan historique. Il a deux sources en Suisse dans la région des Grisons, traverse le lac de Constance et à Bâle se dirige vers le nord.

Le Rhin supérieur sert de frontière entre la France et l'Allemagne. Sur son cours moyen, le Rhin est le plus allemand de tous les fleuves. Le Rhin inférieur atteint finalement les Pays-Bas où il se divise en plusieurs bras qui tous se jettent dans la mer du Nord.

◁ **Der Loreleyfelsen bei St. Goarshausen**
Eine Szene wie in Heines Gedicht: Ein Rheinschiffer nähert sich todesmutig dem Loreleyfelsen, doch von der wunderschönen Nixe ist weit und breit nichts zu sehen. Skeptiker waren ohnehin schon immer der Meinung, wahrer Kern der Legende sei das einzigartige Naturschauspiel der untergehenden Sonne, die den Felsen in gleißendes Licht taucht.

◁ **The Lorelei Rock near St. Goarshausen**
It is like a scene from Heine's poem: a Rhine boatsman fearlessly approaches the Lorelei Rock – but there is no sign of the beautiful siren. Sceptics in any case have always held that the origin of the legend was the uniquely beautiful sunsets here which bathe the rock in brilliant light.

◁ **Le rocher de la Loreley près de St-Goarshausen**
Une scène comme dans le poème de Heine: un bateau s'approche du rocher de la Loreley, mais il n'y a pas la moindre trace de la belle ondine. Les sceptiques ont d'ailleurs toujours pensé que la légende est née du spectacle qu'offre le coucher du soleil en plongeant le rocher dans une lumière étincelante.

147

▷ **St. Goar/Burgruine Rheinfels**
Schemenhafte Gestalt über nebelverhangenem Strom: Ruine Rheinfels, gewaltiger Pilgerort der deutschen Romantik.

▷ **St. Goar/The ruins of Rheinfels Castle**
The ruins of Rheinfels castle – a popular "place of pilgrimage" during the German romantic period – rise like an apparition above the misty river.

▷ **St-Goar/Ruines de la forteresse de Rheinfels**
Une silhouette fantomatique au-dessus du fleuve sous la brume: les ruines de la forteresse de Rheinfels, imposant lieu de pèlerinage du romantisme allemand.

Vorzeit, saßen an den Ufern des Rheins, und es heißt, daß noch heute der Nibelungenschatz von seinen Fluten bewahrt wird. Bei der Loreley, wie es ein Minnesänger aus dem 13. Jahrhundert zu wissen glaubte? Oder bei Worms?

Worms hat noch einen anderen Klang in den Ohren der Deutschen. Dort stand im Jahre 1521 das Mönchlein Martin Luther vor seinem allmächtigen Kaiser, vor Karl V., und bekannte sich zu seiner neuen Lehre. „Hier stehe ich, ich kann nicht anders. Gott helfe mir, Amen!" Ein mutiges Wort, das Europa erschütterte.

Der nordwärts strebende Rhein wendet sich bei Mainz unvermittelt nach Westen, eine kurze Strecke nur. Doch sie reicht. Denn die Berge an seinem Nordufer schauen mit ihren Südhängen in die Sonne – und dort wächst denn auch der köstlichste Wein. Weinfreunde sprechen vom Rheingau – und allein bei diesem Begriff läuft ihnen das Wasser im Munde zusammen.

Im Rheingau liegt Rüdesheim, aber auch, am anderen Ufer des Stroms, Bingen, das weithin bekannt ist durch den dort im Rhein stehenden Mäuseturm, um den sich eine etwas schauerliche Sage rankt. Es wird erzählt, daß einst der Erzbischof Hatto II., der ein grausamer Herr

The Rhine is 820 miles long, and for 540 miles of this distance it flows through German territory: 540 miles fraught with destiny for Germany and for Europe as a whole. The Nibelungs, those legendary heroes of olden times, lived along the banks of the Rhine, and legend has it that the Nibelung treasure is still preserved somewhere deep in the waters of the river. Near the Lorelei, as a minnesinger of the 13th century believed? Or near Worms?

Worms has other connotations in German minds. It was there that the monk Martin Luther faced his all-powerful Emperor Charles V in 1521, and defended his teachings. "Here I stand. I cannot do otherwise, so help me God. Amen!" A courageous statement that was to shake Europe to its foundations. After Worms, a whim of nature suddenly turns the Rhine off its northerly course to the west. It is not a very long stretch, but it suffices, for the hills on the northern bank now face the sun with their southern slopes and provide the warmth necessary for the production of delicious wines. This is the Rheingau, and the mouths of wine-lovers the world over water at the mere mention of the name. Rüdesheim is in the Rheingau, and

Le Rhin a 1 320 kilomètres de long dont 867 sont situés sur le territoire allemand. 867 kilomètres qui ont marqué le destin de l'Allemagne mais aussi de l'Europe.

Les Nibelungen, ces héros légendaires de temps reculés, ont vécu sur les bords du Rhin et leur trésor, dit-on, serait encore enfoui quelque part dans les eaux du fleuve. Près de la Loreley, comme le croyait un minnesinger du XIIIe siècle? Ou près de Worms?

Worms est encore associée à d'autres souvenirs pour les Allemands. C'est là qu'en 1521 le moine Martin Luther comparut devant le tout-puissant empereur Charles Quint et professa sa nouvelle doctrine. «Ici je suis, je ne peux rien d'autre. Que Dieu me vienne en aide. Amen!»

Des paroles courageuses qui ébranlèrent l'Europe.

Ensuite, par un caprice de la nature, le Rhin se détourne de son cours vers le nord pour se diriger vers l'ouest. Le trajet n'est pas long mais il suffit. Car les collines de sa rive nord ont maintenant leurs versants sud au soleil et celui-ci dispense la chaleur nécessaire à la production de vins délicieux. C'est la région du Rheingau et rien qu'à l'évocation de ce nom les amateurs de vins ont l'eau à la bouche.

Dans le Rheingau se trouve Rüdes-

◁ **Bacharach am Rhein**
„Ich befinde mich gegenwärtig in den schönsten, bravsten und unbekanntesten alten Städten der Welt", schrieb Frankreichs größter Dichter, Victor Hugo, als er am Rhein weilte. Besonders angetan hatte es ihm das „alte Märchenstädtchen" Bacharach mit all seinen hübschen Häusern und Türmchen, mit seiner romanischen Peterskirche und der Ruine der Werner-Kapelle.

◁ **Bacharach on the Rhine**
"I am at present visiting the loveliest, quietest, and least-known old towns in the world", wrote the French poet Victor Hugo, when he was travelling along the Rhine. He was particularly fascinated by the "old fairytale town" of Bacharach, with its pretty houses and towers, its Romanesque St. Peter's Church, and the ruin of the Werner Chapel.

◁ **Bacharach sur le Rhin**
«Je me trouve présentement dans les plus belles, les plus honnêtes et les plus inconnues des vieilles villes du monde» écrivit Victor Hugo alors qu'il séjournait sur les bords du Rhin. Il avait été particulièrement séduit par la charmante ville de Bacharach avec ses ravissantes maisons, ses tours et son église St-Pierre de style roman.

151

gewesen sei, am Ende schrecklich habe büßen müssen. Er sei von Mäusen in diesem Turm gefressen worden.

Tatsächlich war der Mäuseturm in alten Zeiten nichts weiter als eine Zollstation. Doch das war den Menschen am Rhein zu prosaisch. Zumal sie so gern schöne Geschichten erzählen, auch wenn sie mitunter traurig ausgehen wie jene vom „fremden Fräulein".

Das war eine junge Engländerin, Idalia Dubb mit Namen. Sie hatte sich im Sommer des Jahres 1851 während einer Rheinreise in das verlassene und verfallene Gemäuer der Burg Lahneck gewagt. Und nachdem sie den Bergfried bestiegen hatte, waren unter ihr die Treppen eingestürzt, so daß ihr der Rückweg abgeschnitten war. Wohl rief sie um Hilfe. Doch niemand hörte sie. Und ein Bauer, den der Zufall vorüberführte, mißverstand ihr Rufen. Er hielt es für einen Gruß und – winkte freundlich zurück. Jahre später wurde das „fremde Fräulein" gefunden – da war es aber schon längst tot.

Die junge Engländerin befand sich damals, im Jahre ihres Todes, auf den Spuren ihrer Königin. Denn Queen Victoria war im Jahre 1850 am Rhein gewesen, und sie hatte bei der Gelegenheit auch Hochheim

so is Bingen, on the other side of the Rhine. Bingen is known not only for wine but also for the notorious "Mäuseturm" that stands in the Rhine there. Legend has it that Archbishop Hatto II paid the penalty for his life-long cruelties by being eaten to death by mice in this tower. In fact, the Mäuseturm was nothing more unpleasant than a toll-house. But this was too prosaic for the Rhinelanders, who love a good story, even though it might be a sad one like the story of the "strange young lady". The strange young lady was an English girl called Idalia Dubb. During a tour of the Rhine in summer 1851 she entered the deserted and ruined castle of Lahneck and climbed into the keep. While she was up there the staircase collapsed behind her, so that she was trapped. She no doubt called for help, but no one heard her. A peasant who saw her waving, thought it was a friendly gesture and simply waved back. The young lady was found years later, but was long since dead.

The young Englishwoman was following in the steps of her Queen. Queen Victoria had toured the Rhine in 1850, and had visited Hochheim, where her favourite wines grew. She called this kind of wine "hock", a term that, in English,

heim mais aussi – sur l'autre rive du fleuve – Bingen célèbre par son Mäuseturm (tour aux Souris) qui s'élève sur une île du Rhin et auquel est rattachée une légende. Selon celle-ci le terrible archevêque Hatto II aurait finalement payé pour ses cruautés car il aurait été mangé par des souris dans la fameuse tour.

En réalité, la tour ne fut rien d'autre jadis qu'une maison d'octroi. Mais c'était trop banal pour les Rhénans amateurs de belles histoires même si celles-ci se terminent parfois mal comme celle de la «jeune étrangère».

Celle-ci était une jeune Anglaise du nom d'Idalia Dubb. Pendant l'été 1851, elle s'était aventurée au cours d'un voyage dans la région dans les ruines du château de Lahneck. Mais lorsqu'elle fut montée au donjon, les escaliers s'écroulèrent derrière elle de sorte qu'elle ne put plus redescendre. Elle appela bien à l'aide mais personne ne l'entendit. Et un paysan qui passait justement par là se méprit sur son geste et le prenant pour un salut amical salua en retour.

Quelques années plus tard, on retrouva la jeune fille, morte depuis longtemps.

A l'époque de sa mort, la jeune Anglaise se trouvait sur les traces de sa reine. Car la reine Victoria avait fait

▷ **Brauweiler/Ehemalige Abtei**
Königin Richeza von Polen, die Tochter des Abteigründers Ezzo, begann im Jahre 1048 mit dem Bau der Kirche Brauweiler. Die rege Bautätigkeit sollte über Jahrhunderte nicht abreißen. Bereits in der ersten Hälfte des 12. Jahrhunderts entstand der Kreuzgang mit schön gearbeiteten Arkaden, der in seiner romanischen Form bis heute erhalten werden konnte.

▷ **Brauweiler/Former Abbey**
Queen Richeza of Poland, the daughter of Ezzo, the founder of the abbey, began with the building of the Brauweiler church in 1048. Building activities continued for centuries. The cloisters with the finely-worked arcades were built in the first half of the 12th century, and have survived in their Romanesque form to today.

▷ **Brauweiler/Ancienne abbaye**
La reine Richeza de Pologne, la fille du comte Ezzo, qui fonda l'abbaye, commença en 1048 la construction de l'église de Brauweiler. Les travaux allaient s'étendre sur plusieurs siècles. Le cloître, avec les arcades ouvragées, fut érigé dès la première moitié du XIIe siècle. Il a pu être conservé jusqu'à maintenant dans sa forme romane.

besucht, wo ihre Lieblingsweine wuchsen. „Hocks" nannte sie diese Weine. Aus Gründen der Bequemlichkeit haben die Engländer diese Bezeichnung dann für alle Rheinweine übernommen. Die dankbaren Hochheimer haben damals einen ihrer besten Weinberge umbenannt in „Königin-Viktoria-Berg".

Die bedeutendste Stadt am Rhein ist Köln. Sie wurde von den Römern gegründet und gilt bis in die heutige Zeit als eine der großen Stätten der Christenheit. Herz und Zentrum der Stadt ist der Dom, das wohl eindrucksvollste Zeugnis gotischer Architektur in Europa. Lange Zeit war er eines der höchsten Bauwerke der Welt. Seine Türme sind 157 Meter hoch.

Der wertvollste in ihm gehütete Schatz ist der Dreikönigsschrein mit den Reliquien der Heiligen Drei Könige, die Reinald von Dassel im Jahre 1164 im Triumph nach Köln gebracht hat. Der Schrein ist der größte Goldsarkophag in Europa. Zu den besonderen Sehenswürdigkeiten in der Stadt gehört das Römisch-Germanische Museum in der Nähe des Domes. Und während der Karnevalszeit gleicht Köln einem mit Konfetti geschmückten und von närrischen Menschen bewohnten Festsaal.

Südlich von Köln liegt Bonn, eine

has come to mean any Rhine wine. The Hochheim people were so gratified at the Queen's visit that they changed the name of their best slope to "Königin-Viktoria-Berg". It does not lie on the Rhine, however, but on the Main, which flows into the Rhine a mile or two away.

The most important town on the Rhine is Cologne. It was founded by the Romans, and to this day is one of the great centres of Christendom. The heart and centre of the city is the Cathedral, surely Europe's most impressive Gothic structure. For a long time it was one of the world's highest buildings, its towers rising over 500 ft. Its most precious treasure is the shrine of the relics of the Magi, which Reinald von Dassel brought back to Cologne in triumph in 1164. It is the largest gold sarcophagus in Europe. The Römisch-Germanisches Museum alone makes any visit to Cologne worth while. A favourite time for visiting the city is during carnival, when the whole town, alive with carnival costumes, is like one great ballroom.

To the south of Cologne lies Bonn, a quiet town of government offices and university buildings, which was chosen as the capital of the Federal Republic of Germany when it was founded in 1949. But the old, cosy part of Bonn, with its historical

une visite dans la région du Rhin en 1850 et s'était rendue à Hochheim où poussaient ses vins préférés qu'elle appelait «Hocks», un terme que les Anglais ont finalement repris pour tous les vins du Rhin. Pleins de gratitude pour la visite de la reine, les habitants de Hochheim rebaptisèrent leur meilleur vignoble qu'ils appelèrent la «colline de la reine Victoria».

La ville la plus importante sur le Rhin est Cologne. Elle fut fondée par les Romains et est jusqu'à maintenant un des grands centres du christianisme. Le cœur et le centre de la ville est la cathédrale, l'édifice sans doute le plus impressionnant de l'architecture gothique en Europe. Pendant longtemps, il a été l'un des plus hauts du monde. Ses tours ont 157 mètres de hauteur.

Le plus précieux des trésors que renferme la cathédrale est la châsse des rois mages avec les reliques que Reinald von Dassel amena en triomphe à Cologne en 1164. La châsse est le plus grand sarcophage en or d'Europe.

Le musée romano-germanique à proximité de la cathédrale fait partie des curiosités de Cologne. La période du carnaval est propice à une visite de la ville qui ressemble alors à une immense salle des fêtes parée de confettis et peuplée de gens en liesse.

beschauliche Beamten- und Universitätsstadt, die im Jahre 1949 zur Hauptstadt der eben gegründeten Bundesrepublik Deutschland gewählt wurde. Aber das alte, gemütliche Bonn mit seinem historischen Marktplatz, und das moderne Bonn mit dem Regierungsviertel liegen streng voneinander getrennt. Nur hier und da verbindet sich das Alte mit dem Neuen, denn der Bundespräsident residiert in der Villa Hammerschmidt aus dem Jahre 1863, und auch der Amtssitz des Bundeskanzlers, das Palais Schaumburg, wurde im vorigen Jahrhundert erbaut.

Einer der berühmten Söhne der Stadt ist der Komponist Ludwig van Beethoven. Sein Geburtshaus in der Bonngasse 20 ist heute ein Museum. Wie in Köln und auch in Bonn, so haben die Römer überall am Rhein und in den linksrheinischen Gebieten ihre Spuren hinterlassen. Eine der bedeutendsten Römerstädte ist Trier an der Mosel. Es hat nicht an Versuchen gefehlt, den Beweis zu erbringen, daß Trier weit über tausend Jahre älter sei als Rom. Eine windige Behauptung, denn was es an klassischen Spuren gibt, das haben zweifellos die Römer hinterlassen – die Porta Nigra zum Beispiel, ein 30 Meter hohes und 36 Meter breites Stadttor.

market-place – the scene of the colourful and varied Bonn Summer Festival every year – is strictly separated from modern Bonn with its government quarter. The two overlap only at certain points, as, for example, in Villa Hammerschmidt, built in 1863, now the seat of the Federal President, and in the official residence of the Chancellor, Palais Schaumburg, which also dates back to the 19th century.

One of the town's famous sons was the composer Beethoven, who was born in Bonn in 1770. The house where he was born – Bonngasse 20 – is now a museum.

Not only in Cologne, and Bonn too, but all along the Rhine and in the regions on the left bank, the Romans have left traces of their presence. One of the most important Roman towns is Trier, on the Moselle. Attempts have been made to prove that Trier is much more than a 1000 years older than Rome. This seems an unlikely story, for the only ancient traces that remain are those that were undoubtedly left by the Romans themselves – the imposing Porta Nigra, for example – a town gateway 98 ft high and 118 ft wide. Other important relics of the Roman age are the amphitheatre, the St. Barbara Thermal Springs, and, especially, the Aula Palatina which

Au sud de Cologne se trouve Bonn, une ville administrative et universitaire paisible qui, en 1949, fut choisie pour être la capitale de la République fédérale d'Allemagne qui venait d'être fondée. Mais le vieux Bonn avec sa place du Marché historique est bien distinct du Bonn moderne avec son quartier gouvernemental.

A certains endroits seulement les deux parties se confondent car le président fédéral réside à la Villa Hammerschmidt qui date de 1863 et la résidence officielle du chancelier fédéral, le Palais Schaumburg, a été construit le siècle dernier.

Un des fils les plus célèbres de la ville est le compositeur Ludwig van Beethoven né en 1770 à Bonn. Sa maison natale au N° 20 de la Bonngasse est aujourd'hui un musée.

Comme à Cologne et aussi à Bonn, les Romains ont partout laissé des traces de leur présence le long du Rhin et dans les régions situées sur sa rive gauche. Une des villes romaines les plus importantes est Trèves sur la Moselle. On a essayé de prouver que Trèves avait plus de mille ans de plus que Rome, ce qui est très peu probable car les seuls vestiges des temps anciens qui subsistent ont été incontestablement laissés par les Romains – la Porta

▷ **Trier/Dom und Liebfrauenkirche**

Die älteste Bischofskirche Deutschlands hat vieles erlebt. Zunächst errichtet Kaiser Konstantin auf dem Platz, auf dem einst der Palast seiner Mutter stand, eine Doppelkirchenanlage. Mehrmals wird das Gotteshaus zerstört und wieder aufgebaut. Im 11. Jahrhundert nahm Erzbischof Poppo den Bau des heutigen Doms in Angriff.

▷ **Trier/Cathedral and Church of Our Lady**

Germany's oldest cathedral has preserved a great deal of its long history. First, the Emperor Constantine had a double church built. The great church was destroyed and rebuilt several times. In the 11th century Archbishop Poppo began building the present structure, which has also been frequently remodelled.

▷ **Trèves/Cathédrale et église Notre-Dame**

La plus ancienne église épiscopale d'Allemagne a une histoire mouvementée: l'empereur Constantin fit tout d'abord ériger une basilique. Par la suite, l'édifice est détruit et rebâti à plusieurs reprises. Au XIe siècle, l'archevêque Poppo entreprend la construction de l'actuelle cathédrale.

Das Amphitheater, die Barbarathermen, vor allem aber auch die Palastaula, die im 4. Jahrhundert als Thronsaal für Kaiser Konstantin erbaut wurde, gehören zu den architektonischen Zeugnissen aus der Römerzeit.

Bemerkenswert sind aber auch der Hauptmarkt der heutigen Stadt Trier, der Dom aus dem 11. Jahrhundert, der kurfürstliche Palast, das idyllische Fischerviertel und die Weinkeller der Stadt.

Trier, Geburtsort von Karl Marx, ist ein städtebauliches Schmuckstück in einer reizvollen Flußlandschaft. Es liegt an der Mosel, jenem windungsreichen Fluß, an dessen Ufern ein besonders edler Wein gedeiht: der Moselriesling.

Die kleinen romantischen Weinorte rechts und links, die Burgen und Schlösser, die stillen Wanderwege, die gemütlichen Weinstuben – dies alles prägt das Bild der Mosel. Und die Frage, was man gesehen haben muß an diesem Fluß, ist schwer zu beantworten, denn die ganze Mosel ist schön.

Ob es nun die wie ein verwunschenes Märchenschloß im Walde liegende Burg Eltz ist, die Weinstube in Bernkastel oder in Winningen, in Traben-Trarbach oder in Brauneberg – überall findet man Menschen, die gern zu einem Gespräch

was built as a throne room for Emperor Constantine in the 4th century, and is now a church.

Other striking features of the town are the Hauptmarkt, the 11th century Cathedral, the Electoral Palace, the idyllic fishermen's quarter and the city wine cellars. Trier was the birthplace of Karl Marx. It is an architecturally beautiful town in a charming river setting. The river is the Moselle, that "curvaceous river" on whose banks a particularly noble wine flourishes: the Moselle Riesling.

The little romantic places on either bank, the castles and palaces, the quiet walks, and the cosy wine taverns all contribute to the charm of this region. And it is hard to say where the visitor should go first – for the whole of the Moselle is full of delights.

The country is also full of people glad to talk, particularly about their favourite subject – their wine. And you can meet them everywhere, in Burg Eltz, that fairytale-like castle buried in the woods, in a wine tavern at Bernkastel or Winningen, in Traben-Trarbach, or Brauneberg. The relationship of the people to their wine seems even more dedicated than in other wine-producing regions. This seems less surprising when one sees the steep slopes on

Nigra par exemple, une porte de ville de 30 mètres de haut et de 36 mètres de large. L'amphithéâtre, les thermes Barbara, mais surtout l'Aula palatina qui fut construite au IVe siècle comme salle du trône pour l'empereur Constantin font partie des édifices de l'époque romaine.

Sont également remarquables le Hauptmarkt ou place du Marché, la cathédrale du XIe siècle, le Palais électoral, le ravissant quartier des pêcheurs, les caves de la ville. Trèves a vu naître Karl Marx.

C'est une ravissante ville sur le plan de l'architecture, située dans une vallée agréable sur la rive droite de la Moselle, une rivière très sinueuse sur les bords de laquelle pousse un vin particulièrement noble: le riesling de Moselle.

Les petites localités romantiques à droite et à gauche, les châteaux, les paisibles chemins de randonnée, les agréables tavernes, tout cela donne son cachet à cette région. Et il est difficile de nommer tel ou tel endroit à visiter de préférence car toute la Moselle est belle.

Les Mosellans sont d'un naturel très communicatif et vous parlent volontiers de leurs vins et ceci quel que soit le lieu où vous les rencontrez, au château d'Eltz qui paraît sortir d'un conte de fées, dans une taverne

▷ **Trier/Porta Nigra**
Mit dem „Schwarzen Tor" sicherten die Römer ihren wichtigen Stützpunkt im Lande der Treverer gegen die Germanen. In späterer Zeit ließ der baufreudige Erzbischof Poppo das Tor zu einer Kirche umbauen. Napoleon haben wir es zu verdanken, daß diese wieder abgetragen und das antike Bauwerk, das bedeutendste und größte unter den erhaltenen römischen Stadttoren, heute in seiner ursprünglichen Gestalt vor uns steht.

▷ **Trier/Porta Nigra**
The "Black Gate" formed part of the fortifications built by the Romans to guard their base in the land of the Treveri (a Celtic tribe) against the Germans. In later times, Archbishop Poppo had the gate converted into a church. Napoleon had the church removed, restoring the gate.

▷ **Trèves/Porta Nigra**
Avec la «porte noire», les Romains assuraient la défense de leur base la plus importante dans le pays des Trévires contre les Germains. Plus tard, l'archevêque Poppo en fit une église. C'est sur les ordres de Napoléon que celle-ci fut supprimée.

bereit sind und am liebsten von ihren Weinen erzählen. In kaum einem anderen Anbaugebiet ist das Verhältnis der Menschen zu ihrem Wein so innig wie an der Mosel, was aber kein Wunder ist. Man muß nur einmal die steilen Hänge betrachten, dann weiß man oder ahnt es zumindest, wie mühevoll die Arbeit im Weinberg ist, wie sie sich plagen müssen, die Menschen, ehe der Wein im Glase funkelt. Was man so schwer erarbeiten muß, das liebt man auch.

Ein ähnliches Verhältnis der Winzer zu ihrem Wein findet man an der Ahr, wo vor allem Rotweine wachsen. Die Ahr ist ein kleiner Nebenfluß des Rheins. Das schmale Ahrtal ist eine Idylle von eigenem Reiz. Wer sportlich ist, mag oberhalb des Tales den Rotweinwanderweg entlangwandern. Der Weg ist 30 Kilometer lang und führt über weite Strecken durch die Weinberge. Wir wollen aber auch an die Eifel mit ihren Wäldern erinnern. Dort befindet sich der Nürburgring, eine der anspruchsvollsten Rennstrecken der Welt. Schließlich soll ein Abstecher nach Aachen empfohlen werden, in die alte Kaiserstadt, wo der Thron Karls des Großen steht, jenes Kaisers, der vor 1200 Jahren Frankreich und Deutschland unter seinem Szepter vereinigte.

which the vines grow, for then one has an idea at least of how laborious the work in these vineyards is, and how much work has gone into every drop before it can sparkle in the glass. It must be a labour of love! Here, in the Moselle region, wine is not simply regarded as a drink, but also as a medicine. One wine-grower tells of how his mother used to give him wine to drink when he suffered from high temperatures as a child, and how the temperature then always receded.

There is a similar relationship between the grower and his wine along the River Ahr, where most of the wine produced is red. The Ahr is a small tributary of the Rhine, and the narrow Ahr valley possesses a charm of its own. The more robust visitors like to hike along the red wine trail that runs through the valley for 18 miles, much of the time through the vineyards.

But we must not forget the wooded region called the Eifel – the site, by the way, of the Nürburgring, one of the most difficult motor-racing circuits in the world. And, finally, another rewarding excursion is to Aachen – the old imperial city, where Charlemagne's throne still stands – the emperor who at one time united France and Germany under his sceptre.

à Bernkastel ou à Winningen, à Traben-Trarbach ou à Brauneberg. Plus que dans tout autre région viticole, les gens semblent très attachés à leurs vins, ce qui n'a rien d'etonnant. Il suffit de regarder les pentes raides pour savoir ou du moins deviner la somme de travail qu'il faut accomplir dans ces vignobles avant de voir le vin pétiller dans les verres. C'est un travail qui demande beaucoup de peine et les vignerons n'en aiment que plus le produit.

On retrouve une attitude semblable du vigneron à l'égard de son vin dans l'Ahr où l'on produit surtout des vins rouges. L'Ahr est un petit affluent du Rhin. L'étroite vallée de l'Ahr a un charme particulier. Le sportif empruntera volontiers le chemin de randonnée long de trente kilomètres qui conduit au-dessus de la vallée à travers les riches vignobles.

Mais nous ne devons pas oublier la région de l'Eifel avec ses forêts où se trouve le Nürburgring, un des circuits automobiles les plus difficiles du monde. Il faut enfin faire un crochet par Aix-la-Chapelle, la vieille cité impériale où se trouve le trône de Charlemagne, l'empereur qui, il y a 1 200 ans, réunissait sous son sceptre la France et l'Allemagne.

▷ **Beilstein an der Mosel**
Das unbestrittene Kleinod unter den schönen Moselstädten ist nicht nur häufig besungen und bedichtet worden. Auf berühmt gewordenen Stufen gelangt der Besucher zur Kirche der Karmeliter. Sie beschützt das Gnadenbild der „Schwarzen Madonna", das einst das spanische Heer hier zurückließ.

▷▷ **Burg Eltz**
Wie märchenhafter Phantasie entsprungen, so ragt Burg Eltz mit ihrem Fachwerk, ihren unzähligen Türmchen und Erkern aus dem dunklen Grün der Moselwälder.

▷ **Beilstein on the Moselle**
This jewel among the lovely Moselle towns has been much praised in verse and song.

▷▷ **Eltz Castle**
With its half-timbering, and its numerous turrets and oriels, Eltz Castle rises romantically above the dark-green woods of the Moselle.

▷ **Beilstein sur la Moselle**
Le charme de Beilstein, joyau incontestable parmi les villes de la Moselle, a souvent été célébré.

▷▷ **Château d'Eltz**
Avec ses colombages, ses innombrables tours et encorbellements, le château d'Eltz se dresse sur le vert sombre des forêts de la Moselle.

163

▽ **Das Bettenfelder Maar**

Eine aufregende Landschaft erwartet den Besucher der Vulkaneifel. Inmitten einer von prächtigem Mischwald überzogenen Gegend lugen dunkle Maare aus ertrunkenen Vulkantrichtern.

▷ **Monreal in der Eifel**

Im bewaldeten Tal der Elz, einem kleinen Nebenfluß der Mosel, liegt das bildschöne Eifeldörfchen Monreal. Schmucke Fachwerkhäuser werden überragt von alten Burgruinen auf steiler Anhöhe.

▽ **Bettenfeld Maar**

The once volcanic region called the Eifel is dotted with "Maare", often nearly circular lakes, that have formed in the cones of former volcanoes. They provide dramatic accents in this hilly landscape covered with stretches of mixed forest.

▷ **Monreal in the Eifel Region**

Monreal – a picture-book village in the wooded valley of the Elz, a tributary of the Moselle. Its neat half-timbered houses lie snugly below the ruins of the old castle.

▽ **Le Maar de Bettenfeld**

C'est un paysage fascinant qui attend le visiteur de l'Eifel. Au milieu d'une région recouverte de forêts mixtes, il y rencontre des «Maare», des cratères éteints occupés par des lacs.

▷ **Monreal dans l'Eifel**

Le petit village de Monreal est situé dans la vallée boisée de l'Elz, un petit affluent de la Moselle. Des ruines d'un vieux château, perché sur des rochers abrupts, dominent de ravissantes maisons à colombages.

▽ Herbststimmung im Ülfetal

*Dies ist ein Herbsttag, wie ich
    keinen sah!
Die Luft ist still, als atmete man
    kaum…
O stört sie nicht, die Feier der
    Natur!
Dies ist die Lese, die sie selber
    hält,
Denn heute löst sich von den
    Zweigen nur,
Was vor dem milden Strahl der
    Sonne fällt.*

        Friedrich Hebbel

▷ Druidenstein bei Betzdorf

*Gewaltige, finstere Erinnerung an
heidnische Zeit, der Druidenstein
im Westerwald, inzwischen längst
mit dem christlichen Kreuzsymbol
gekrönt.*

▽ Autumn mood in the Ülfe Valley

*Season of mists and mellow fruit-
fulness,
Close bosom-friend of the maturing
sun;
Conspiring with him how to load
and bless*

With fruit the vines…

        John Keats

▷ The Druids' Stone near Betzdorf

*A tremendous, grim reminder of
heathen days: the Druids' Stone in
the Westerwald, which has long
since been crowned with a cross.*

▽ Ambiance automnale dans la vallée de l'Ülfe

*C'est un jour d'automne à nul autre
pareil! L'air est paisible, il n'y passe
aucun souffle…*

*Ne trouble pas la nature en fête!
La cueillette n'est pas encore faite,
Car des branches se détache seule-
ment
Ce qu'en prend un tendre rayon de
soleil.*

        Friedrich Hebbel

▷ Pierre druidique près de Betzdorf

*Imposant souvenir d'une époque
païenne, la pierre des druides dans
le Westerwald est depuis longtemps
couronnée de la croix chrétienne.*

An Rhein und Ruhr

Die feinste Adresse unter den Einkaufsstraßen in Deutschland ist die Königsallee in Düsseldorf, liebevoll „Kö" genannt. Dort trifft sich die elegante Welt, kauft ein in exquisiten Läden, um anschließend in einem der eleganten Straßencafés bei Kaffee und Kuchen zu sehen und gesehen zu werden.

Und dabei verdankt diese Prachtstraße ihren Namen einem – Pferdeapfel. Im Jahre 1848, einem der politisch unruhigsten Jahre in der deutschen Geschichte, besuchte der Preußenkönig Friedrich Wilhelm IV. Düsseldorf. Er fuhr mit der Kutsche durch die Stadt. Am Straßenrand standen die Menschen und guckten. Und plötzlich kam ein Pferdeapfel geflogen und traf den Mantel des Königs. Dieser soll sich daraufhin in seinem Verdacht bestätigt gesehen haben, daß die Düsseldorfer keine besonders guten Preußen seien. Die Düsseldorfer Stadtoberen aber versuchten, den König vom Gegenteil zu überzeugen. Sie benannten die Straße des schmachvollen Vorganges im Jahre 1851 um – in Königsallee.

Treffpunkt im nächtlichen Düsseldorf ist die Altstadt mit ihren vielen gemütlichen Kneipen, in denen vor allem Altbier ausgeschenkt wird. Und vielleicht – wenn's noch nicht gar so spät ist – trifft man dort einen

Along the Rhine and Ruhr

The most exclusive shopping street in Germany is Königsallee in Düsseldorf, affectionately called "Kö". There the beautiful people do their shopping in the right shops, retiring afterwards to one of the elegant cafés for coffee and cake and to see and be seen.

And yet this dazzling street arrived at its impressive name thanks to some horse dung! In 1848 – one of the politically most dramatic years in German history – the Prussian King, Frederick William IV, visited Düsseldorf. He drove through the town in a coach. The streets were lined with spectators. Suddenly a chunk of horse dung came flying through the air, and struck the King's cape. This incident is said to have convinced him of what he had already suspected: that the Düsseldorf population were not very good Prussians. The Düsseldorf city council tried to convince the King that he was mistaken: in 1851 they renamed the street in which the disgraceful incident had occurred, giving it its present name: Königsallee. Nightlife in Düsseldorf centres on the old quarter of the town, with its many cosy pubs in which the main drink is local ale called Altbier (produced by top-fermentation). And, if it is not too late at night, you might see one of the famous Düsseldorf

La région du Rhin et la Ruhr

La Königsallee à Dusseldorf, familièrement appelée «Kö» est une rue où se trouvent les plus belles boutiques d'Allemagne. Le beau monde s'y côtoie dans les élégants magasins et se retrouve ensuite dans l'un des cafés pour déguster cafés et gâteaux et surtout pour voir et être vu.

Fait amusant, cette magnifique rue doit son nom à du crottin de cheval! En 1848, une des années les plus mouvementées de l'histoire allemande, le roi de Prusse Frédéric-Guillaume IV se rend à Dusseldorf. Il traversa la ville en calèche. La foule le regardait passer et soudain voilà qu'un crottin de cheval est lancé d'on ne sait où et s'en va frapper le manteau du roi. Cet incident aurait, dit-on, confirmé le roi dans ses soupçons, à savoir que la population n'avait pas des sentiments très prussiens. Mais le conseil municipal de la ville essaya de convaincre le roi du contraire et, en 1851, donna à la rue où s'était passé ce scandaleux incident le nom de Königsallee.

A Dusseldorf la vie nocturne se concentre dans la vieille ville avec ses bistrots sympathiques où l'on sert surtout de l'Altbier. Si la nuit n'est pas trop avancée, on pourra y rencontrer un de ces jeunes et célèbres acrobates de Dusseldorf en train de faire la roue pour gagner un

◁◁ **Aachen/Nachbildungen der Reichskleinodien**
Die Reichskleinodien der Kaiser und Könige des Deutschen Reiches waren Zeichen ihrer weltlichen Macht.
◁ **Aachen/Der Thron Karls des Großen im Dom**
Karl der Große erwählte nach langen Jahren des Wanderkönigtums Aachen zur festen Residenz.

◁◁ **Aachen/Replicas of the Imperial Insignia**
The Imperial Insignia of the emperors and kings of the German Empire were symbols of their worldly power.
◁ **Aachen/Charlemagne's Throne in the Cathedral**
After wandering with his court for many years in the traditional manner, Charlemagne chose Aachen as his permanent residence.

◁◁ **Aix-la-Chapelle/Copies des joyaux de la couronne**
Les joyaux de la couronne symbolisaient le pouvoir temporel des souverains du Saint Empire romain germanique.
◁ **Aix-la-Chapelle/Le trône de Charlemagne dans la cathédrale**
Après de longues années de royauté itinérante, Charlemagne fit d'Aix-la-Chapelle sa résidence fixe.

◁ Freudenberg

Das alte Städtchen war im 17. Jahrhundert durch eine Feuersbrunst fast völlig zerstört worden. Da erteilte Fürst Johann Moritz von Nassau-Siegen den Befehl, die niedergebrannte Ortschaft nach einem einheitlichen Plan wieder aufzubauen. Und so entstand die vielgerühmte Fachwerkschönheit Freudenbergs, die seit jener Zeit unverändert bewahrt wurde.

◁ Freudenberg

The old town was almost completely destroyed by fire in the 17th century. Afterwards, Prince Johann Moritz of Nassau-Siegen decreed that it should be rebuilt to a unified plan. And that was the origin of Freudenberg's famous half-timbered houses, which have been preserved unchanged since that time.

◁ Freudenberg

Après la destruction quasi totale de la petite ville par un incendie au XVIIᵉ siècle, le prince Jean Maurice de Nassau-Siegen donna l'ordre de la reconstruire d'après un plan uniforme. Et c'est ainsi qu'est née la beauté si célèbre de Freudenberg, la ville aux maisons à colombages, une beauté restée intacte jusqu'à maintenant.

der berühmten Düsseldorfer Radschläger. Das sind radschlagende Jungen, die sich mit dieser Geschicklichkeit ein kleines Taschengeld verdienen. Es heißt, Buben aus Neapel, die ihre Väter, Eis- und Maronenverkäufer, im vorigen Jahrhundert nach Düsseldorf begleiteten, hätten dieses akrobatische Kunststück mit an den Rhein gebracht.

Düsseldorf ist die Hauptstadt des Landes Nordrhein-Westfalen. Es liegt am Rande des Ruhrgebiets, das zu den großen Industriezentren Europas gehört. Und wer dort in der Nähe weilt, der sollte die Städte des Ruhrgebiets besuchen, Essen zum Beispiel, der sollte aber auch einen Abstecher ins Sauerland machen, einer schönen deutschen Mittelgebirgslandschaft, in der es noch viele stille Wälder gibt. Und wenn Schnee liegt, ist das Gebiet um Winterberg ein Ziel der Skiläufer von Rhein und Ruhr.

Reizvoll aber ist es auch, den alten Römern einen kurzen Besuch abzustatten. In der Nähe von Xanten, von wo aus im Jahre 9 n. Chr. die römischen Legionen nach Germanien einmarschierten, um dort – in der Schlacht im Teutoburger Wald – eine furchtbare Niederlage einzustecken, ist eine alte römische Stadt ausgegraben und zum Teil rekonstruiert worden.

cart-wheelers – boys who earn a bit of pocket money by displaying their acrobatic skill. It is said that this turn was brought to Düsseldorf in the last century by the sons of Neapolitan ice-cream and chestnut sellers.

Düsseldorf is the capital of Northrhine-Westphalia. It lies on the fringe of the Ruhr District, one of Europe's largest industrial conurbations. And while here in this region, it is well worth while visiting the cities of the Ruhr District – Essen, for example – and also taking a trip to the Sauerland, a charming hilly area with quiet woodland. In winter the area round the Winterberg provides skiing for enthusiasts from the Rhine and Ruhr regions.

It is also a fascinating experience to "drop in on the ancient Romans" – in Xanten, for example, where a Roman town has been excavated and partly reconstructed. It was from there that the Roman legions marched into Germania in AD 9, only to suffer a crushing defeat in the battle of the Teutoburg Forest.

peu d'argent de poche. De jeunes Napolitains qui avaient accompagné leurs pères, marchands de glace et de marrons, à Dusseldorf, le siècle dernier, auraient introduit ce genre d'acrobatie sur les bords du Rhin. Dusseldorf est la capitale du Land de Rhénanie du Nord-Westphalie. Elle est située en bordure de la Ruhr, l'un des plus grands centres industriels d'Europe. Lorsqu'on visite la région, il est bon de faire un tour dans les villes de la Ruhr, de voir Essen par exemple, et de faire aussi un crochet dans le Sauerland où il y a encore de belles forêts tranquilles. En hiver, le coin situé autour de Winterberg attire les skieurs des régions du Rhin et de la Ruhr. Il est aussi intéressant de faire une petite visite aux anciens Romains. A Xanten, par exemple, où un ancien camp romain a été mis au jour et partiellement reconstitué. C'est de là que sont parties en l'an 9 après J.-C. les légions romaines pour aller subir en Germanie, dans la forêt de Teutobourg, une terrible défaite.

▷ **Blick vom Kahlen Asten auf Winterberg**
Zwischen Sieg und Ruhr erstreckt sich eines der nördlichsten deutschen Mittelgebirge, das Sauerland. Weit schweift der Blick vom höchsten Berg, dem Kahlen Asten, auf die sanft geschwungene, bewaldete Winterlandschaft.

▷ **View of Winterberg from Kahler Asten**
The hilly Sauerland region lies between the rivers Sieg and Ruhr. From its highest mountain, Kahler Asten, there are extensive views across the rolling, wooded hills.

▷ **Vue du Kahler Asten sur Winterberg**
Entre la Sieg et la Ruhr s'étend le Sauerland, une des chaînes de montagnes de hauteur moyenne les plus septentrionales d'Allemagne. Celle-ci culmine au Kahler Asten d'où l'on jouit d'un beau panorama sur le paysage hivernal tout en pentes douces et boisées.

◁ **Externsteine bei Horn**
Die riesenhaften, geheimnisvollen Felsen am Teutoburger Wald waren in grauer Vorzeit wohl eine heidnische Kultstätte.

▽ **Niederrheinische Landschaft bei Birten**
Spröde und melancholisch wird der Rhein, wenn er sich aus dem Burgenzauber herauswindet und zum Strom weitet. Für Heinrich Böll ist dies der eigentliche, sein Rhein: „Er wechselt in Gelassenheit und Schwermut über… immer ernster wird er auf die Mündung zu, bis er in der Nordsee stirbt…"

◁ **The Externsteine near Horn**
This huge group of limestone rocks by the Teutoburg Forest was presumably a heathen cultic site in prehistoric times.

▽ **Landscape near Birten on the Lower Rhine**
As the Rhine frees itself from the romantic, castle-crowned hills of its middle section, it becomes wider, slower, and more melancholy. For the writer Heinrich Böll, a Rhinelander, this is his, is the true Rhine: "It changes, becoming more tranquil, sadder… becoming more and more solemn until it reaches the North Sea and dies…"

◁ **Externsteine près de Horn**
Dans la nuit des temps, les immenses rochers auréolés de mystère en bordure de la forêt de Teutobourg furent sans doute un lieu de culte païen.

▽ **Paysage du Rhin inférieur près de Birten**
Lorsqu'il s'arrache au charme des châteaux et devient imposant, le Rhin se fait mélancolique. Pour l'écrivain rhénan, Heinrich Böll, c'est là le vrai Rhin: «Il passe nonchalant et triste… devient de plus en plus grave vers l'embouchure jusqu'à ce qu'il expire dans la mer du Nord…»

Xanten ist reich an Geschichte und an Geschichten. Siegfried soll dereinst hier geboren worden sein. Kaiser Augustus ließ hier 15 v. Chr. ein Heerlager errichten. Wie die Legende berichtet, starb in Xanten auch der heilige Viktor mit seinen Gefährten den Märtyrertod. Wo er verstarb, soll heute der Dom stehen.

▷ **Rheinischer Karneval**

Dem Rheinländer genügen die vier Jahreszeiten nicht, er lechzt jedes

Jahr von neuem nach der fünften: der Karnevalszeit. Diese erstreckt sich über mehrere Monate und erreicht ihren Höhepunkt erst kurz vor Aschermittwoch an der Weiberfastnacht und am Rosenmontag.

▽ **Xanten/The Cathedral
of St. Victor**

Xanten is rich in legend. Siegfried, the archetypal Teuton and most famous German hero, is said to have been born here. According to legend, St. Victor and his followers

died martyrs' deaths here in Xanten at the place where the Cathedral now stands.

▷ **Carnival in the Rhineland**

The Rhinelanders are not satisfied with four seasons: they introduce a fifth one every year called carnival. This lasts for several months, and reaches its climax before Lent.

▽ **Xanten/Cathédrale St-Victor**

Xanten est riche en histoires. Siegfried, l'incarnation des Germains et

le plus célèbre des héros allemands, y serait né. Et d'après la légende, saint Victor serait mort en martyr avec ses compagnons à Xanten. La cathédrale serait située à l'emplacement où il mourut.

▷ **Carnaval rhénan**

Le Rhénan n'a pas assez de quatre saisons, chaque année il soupire après la cinquième: celle du carnaval. Celle-ci s'étend sur plusieurs mois et atteint son apogée à la veille du mercredi des Cendres.

Das Münsterland

Westfalen ist das Land der Wasserburgen. Trutzige Gemäuer sind darunter, hinter denen man aufregende Geschichten vermutet und spukende Ahnen, die in weißen Laken durch die alten Räume schweben, mit Ketten rasseln und schrecklich stöhnen.

Reich an Burgen ist vor allem das Münsterland. Zu den ganz alten zählt die Burg Vischering, die seit 1271 im Besitze der Familie von Droste ist. Ausgesucht schön ist das Schloß in Anholt, nahe der niederländischen Grenze gelegen, und die wohl bedeutendste Anlage ist das barocke Nordkirchen.

Eine bemerkenswerte Vergangenheit aber hat die Iburg in Bad Iburg südlich von Osnabrück. Dort lebte Sophie von der Pfalz, die als „Mutter der Könige" in die europäische Geschichte eingegangen ist. Ihre Tochter Sophie Charlotte wurde als Frau Friedrichs I. von Hohenzollern im Jahre 1701 die erste Preußenkönigin. Ihr Sohn bestieg später als Georg I. den Thron von England.

Die beiden herausragenden Städte in dieser Region sind Münster und Osnabrück. Sie nehmen in der deutschen Geschichte eine besondere Stellung ein. Denn in beiden Städten fanden die Verhandlungen zur Beendigung des Dreißigjährigen

Münsterland

Westphalia is the country of moated castles. Some of them certainly have dramatic histories, and it is easy enough to imagine ancestral ghosts flitting through the ancient rooms with rattling chains and heart-rending groans.

Münsterland, in particular, has more than its share of great buildings. One of the oldest is Vischering Castle, which has been owned by the von Droste family since 1271. And one of the most beautiful is Anholt Castle, close to the Dutch border, while probably the most important of them all is the baroque palace at Nordkirchen, called the "Versailles of Münsterland".

The castle in Bad Iburg, to the south of Osnabrück, has a particularly interesting history. It was the home of Sophie of the Palatinate, who has gone down in European history as the "mother of kings". As the wife of Frederick I of Hohenzollern her daughter Sophie Charlotte became the first Queen of Prussia in 1701. And her son became King George I of England.

The two most important towns in this region are Münster and Osnabrück. They take up a special position in German history: negotiations to end the Thirty Years' War were held in both places. The peace treaty was signed in 1648 by the

Le Münsterland

La Westphalie est la région des castels d'eau. Certains d'entre eux sont dotés d'imposantes murailles derrière lesquelles on peut imaginer de dramatiques histoires et des fantômes vêtus de draps blancs en train de glisser à travers les pièces en faisant cliqueter leurs chaînes avec force soupirs.

Le Münsterland, en particulier, abonde en châteaux. Parmi les plus anciens figure le castel d'eau de Vischering, depuis 1271 propriété de la famille von Droste. Un des plus beaux est le château d'Anholt, près de la frontière hollandaise, et le plus important est sans doute le château baroque de Nordkirchen.

Le château d'Iburg, au sud d'Osnabruck, a lui un passé intéressant. C'est là que vécut Sophie, princesse palatine, celle qui est entrée dans l'histoire européenne comme la «mère des rois». Sa fille Sophie-Charlotte devint, comme épouse de Frédéric Ier de Hohenzollern, en 1701, la première reine de Prusse. Leur fils devint le roi George Ier de Grande-Bretagne.

Les deux villes les plus importantes dans cette région sont Munster et Osnabruck. Elles occupent une place particulière dans l'histoire allemande. Car, dans les deux villes, se déroulèrent les pourparlers pour mettre fin à la guerre de trente ans.

◁ **Wasserschloß Nordkirchen**
Das „münsterische Versailles", wie Zeitgenossen den Barockbau bewundernd genannt haben, ruht, umgeben von Wassergräben, majestätisch in einem weitläufigen Park.

▷▷ **Lüdinghausen/Wasserburg Vischering**
Die älteste Wasserburg Westfalens ist uns in allen wesentlichen Bauteilen erhalten geblieben.

◁ **Nordkirchen Palace**
The "Versailles of Münsterland" was a contemporary name for this early 18th century house, and understandably so, for it is a majestic, moated complex, set in extensive parkland.

▷▷ **Lüdinghausen/Vischering Castle**
The oldest moated castle in Westphalia has preserved all its essential features intact.

◁ **Castel d'eau de Nordkirchen**
Ses contemporains l'avaient comparé au château de Versailles. A juste titre, car le château baroque de Nordkirchen est majestueusement situé dans un immense parc.

▷▷ **Lüdinghausen/Castel d'eau de Vischering**
Le plus ancien castel d'eau de Westphalie a pu être conservé jusqu'à ce jour dans ses parties essentielles.

Krieges statt. Der Frieden wurde im Jahre 1648 von den katholischen Unterhändlern in Münster und von den protestantischen in Osnabrück unterzeichnet. Als zwei Jahre später in Osnabrück die Wiederkehr des Tages der Unterzeichnung gefeiert wurde, vergaß man, dazu auch die Kinder einzuladen. Sie rückten daraufhin auf ihren Steckenpferden an und paradierten vor den Stadtoberen und dem Gesandten des Kaisers – eine Demonstration für den Frieden, die alljährlich am 25. Oktober wiederholt wird.

Nördlich von Münster und Osnabrück breitet sich ein reiches Bauernland aus, und wer sich einen Überblick verschaffen will über das Leben der Menschen in diesem Raum in vergangenen Zeiten, wer ihre Häuser kennenlernen will und ihre Kultur, der sollte das Museumsdorf in Cloppenburg besuchen, ein großes Freilichtmuseum mit Bauernhäusern und Mühlen, mit einer Kirche und einer winzigen Dorfschule.

Kühe weiden dort auf der Wiese, eine Gänseherde zieht schnatternd über den Weg, in einem Backofen wird deftiges Landbrot gebacken, ein Töpfer sitzt an der Töpferscheibe, und im Dorfkrug gibt es ein kräftiges Essen, wie es die Leute dort mögen.

Catholic delegation in Münster and by the Protestant delegation in Osnabrück. When the anniversary of the signing was celebrated in Osnabrück two years later, the town children were not invited. They turned up nevertheless on their hobby-horses, and paraded in front of the town councillors and the imperial envoy – a peace demonstration which is repeated every year on 25th October.

The area to the north of Münster and Osnabrück is fertile farming country, and anyone interested in how the people of this region used to live, and in their houses and culture, should visit the museum village in Cloppenburg – a large open-air museum with farmhouses and mills, a church, and a tiny village school. Cows graze in the meadows, a flock of geese goes cackling through the village, bread is baked in the village oven, and a potter can be seen at work. And, in the village inn, you can have a hearty meal of local specialities.

La paix fut signée en 1648 par la délégation catholique à Munster et par la délégation protestante à Osnabruck. Lorsque deux ans plus tard on célébra à Osnabrück l'anniversaire de la signature, on oublia d'inviter les enfants. Ceux-ci enfourchèrent alors leurs chevaux de bois et paradèrent devant les conseillers municipaux et l'envoyé de l'empereur – une manifestation en faveur de la paix que l'on renouvelle chaque année le 25 octobre.

Au nord de Munster et d'Osnabruck s'étend une riche région agricole et celui qui s'intéresse au mode de vie des paysans d'autrefois, à leurs maisons et à leur culture, doit visiter le musée folklorique de plein air à Cloppenburg qui rassemble des fermes et des moulins, une église et une minuscule école de village. Les vaches y paissent dans les prés, un troupeau d'oies passe en cacardant, du bon pain paysan cuit dans le four et un potier est assis à son tour. Et dans l'auberge du village, on peut se régaler de plats consistants comme on les aime dans la région.

▷ **Sögel/Schloß Clemenswerth**
Tief im Wald ließ Fürstbischof Clemens August dieses Jagdschloß auf kreuzförmigem Grundriß errichten. Das kurfürstliche Schlößchen steht im Mittelpunkt eines achtstrahligen Sterns aus acht Waldalleen und acht Pavillons, die für die Unterbringung und Verköstigung der Jagdteilnehmer gedacht waren.

▷ **Sögel/Clemenswerth Palace**
This hunting lodge was built in the depths of the forest by Prince Bishop Clemens August. The cruciform house is at the centre of eight converging woodland rides with eight pavilions which served to accomodate the hunting parties.

▷ **Sögel/Château de Clemenswerth**
Le prince-évêque Clément Auguste fit construire ce château en pleine forêt d'après un plan cruciforme. Le petit château se trouve au centre d'une étoile à huit branches composée de huit allées tracées dans la forêt et de huit pavillons où étaient hébergés les invités aux parties de chasse.

◁ **Ottbergen/Altes Fachwerkhaus**
Goldene Inschriften zieren die Querbalken dieses märchenhaft schönen Fachwerkhauses. Der Hausherr hat sich mit seiner Frau darauf verewigt. Es müssen gottesfürchtige Leute gewesen sein, da sie ihr Haus dem Schutz des Allerhöchsten anempfahlen.

◁ **Ottbergen/Old half-timbered house**
The owner and builder of this magnificent half-timbered house was rightly proud of his work, and was not shy of inserting his own and his wife's name among the golden inscriptions, which include a pious appeal for protection by the Almighty.

◁ **Ottbergen/Ancienne maison à colombages**
Des inscriptions en lettres d'or ornent les poutres transversales de cette merveilleuse maison à colombages. Le maître de maison s'y est immortalisé avec sa femme. Ce devaient être des gens très pieux car ils avaient placé leur maison sous la protection du Tout-Puissant.

Deutsche Märchenstraße

Deutschland, das Land der Märchen und Sagen, hat auch – wie könnte es anders sein – eine Märchenstraße, die auf ihrer schönsten Strecke durchs schmale Wesertal führt, die ihren Namen aber vor allem den Brüdern Grimm verdankt.

Jacob und Wilhelm Grimm, geboren 1785 und 1786 in Hanau am Main, waren Germanisten und wirkten als Professoren in Göttingen, wo sie wegen ihrer liberalen Haltung die Ungnade des Landesherrn zu spüren bekamen. Berühmt wurden die beiden Brüder durch ihre Märchensammlung, die als „Kinder- und Hausmärchen" längst zu einem festen Bestandteil der deutschen Literatur geworden sind. Zahlreiche dieser Märchen – und einige der populärsten – sammelten die Brüder Grimm in den kleinen Städten und Dörfern rund um Kassel und Göttingen. Eines der beliebtesten Märchen, das vom Dornröschen, das – von einer bösen Hexe in einen hundertjährigen Schlaf versetzt – von einem schönen Prinzen erlöst wurde, siedelten sie in der Sababurg im Reinhardswald an.

Auf dieser Burg hatten die Grimms während ihrer Reisen zwischen Kassel und Göttingen häufig als Gäste des hessischen Kurfürsten

The German Fairytale Route

As might well be expected, Germany, the land of fairytales and sagas, has a Fairytale Route, the prettiest part of which runs through the narrow valley of the Weser. And it was around here that the Grimm brothers collected many of their folk tales.

Jacob and Wilhelm Grimm, born in 1785 and 1786 in Hanau on the Main, philologists and literary scholars, were appointed as professors in Göttingen – where they became unpopular with the authorities because of their liberal views. They were made famous by their collection of fairytales, which, entitled "Kinder- und Hausmärchen" have long been an important element in German literature, and are known throughout the world. Many of these folk-tales – and some of the most popular – were collected in the little towns and villages around Kassel and Göttingen. And they set one of the most beloved fairytales, The Sleeping Beauty, about the princess sent to sleep for a hundred years by a witch, but who is awakened by a kiss from a prince, in Sababurg Castle in the Reinhard Forest.

The Grimms had frequently stayed in this castle as the guest of the Elector of Kassel during their travels between Kassel and Göttin-

La route allemande des Contes

L'Allemagne, pays de contes et de légendes, a également – comment pourrait-il en être autrement – une route des Contes qui, sur son plus joli parcours, passe par l'étroite vallée de la Weser et qui doit surtout son nom aux frères Grimm.

Jacob et Wilhelm Grimm, nés en 1785 et 1786 à Hanau sur le Main, étaient philologues et professeurs à Göttingen où, par suite de leur attitude libérale, ils tombèrent en disgrâce auprès des autorités. Ils devinrent célèbres par leur recueil de contes qui, sous le titre de «Kinder- und Hausmärchen» («Contes d'enfants et du foyer»), est depuis longtemps un élément important de la littérature allemande. Un grand nombre de ces contes – et certains parmi les plus populaires – ont été recueillis par les frères Grimm dans les petites villes et villages des alentours de Kassel et Göttingen. Et ils ont situé l'une de leurs plus belles histoires, celle de la Belle au bois dormant (qui – plongée dans un sommeil de cent ans par une méchante fée – est délivrée par le baiser d'un beau prince) dans le château de Sababurg au milieu de la forêt de Reinhard.

Lors de leurs voyages entre Kassel et Göttingen, les frères Grimm avaient souvent été, dans ce château, les hôtes du prince-électeur de

▷▷ Kloster Corvey

Von Corveys Ruhm im Mittelalter kündet eine alte Quelle: Dieses Kloster sei das „Wunder Sachsens und des Erdkreises". Ansgar, der Apostel des Nordens, hatte hier seine Wirkungsstätte. Widukind verfaßte seine große Sachsengeschichte. Die Schriften der römischen Klassiker Tacitus und Cicero wurden in der reichhaltigen Klosterbibliothek der Nachwelt bewahrt.

▷▷ Corvey Monastery

In the Middle Ages, Corvey was considered to be "the wonder of Saxony and of the whole globe". Anskar, "the Apostle of the North", lived here, and it was here that the monk Widukind wrote his famous history of the Saxons. Corvey was a centre of classical learning and its fine library included the writings of Tacitus and Cicero.

▷▷ L'abbaye de Corvey

La célébrité de Corvey au moyen âge est attestée par une source ancienne: l'abbaye est la «merveille de Saxe et du monde». Anschaire, l'apôtre du Nord, y fonda une école; Widukind y écrivit son histoire des Saxons. Les écrits des classiques romains, Tacite et Cicéron, furent gardés pour la postérité dans la riche bibliothèque.

187

◁ **Schwalenberg/Rathaus**
*Zahlreiche Fachwerkhäuser
schmücken die Bürgerstadt Schwalenberg. Wie es sich geziemt, ist das
schönste von allen das Rathaus, das
mit seinen reichen Fassadenschnit-
zereien und plattdeutschen Inschriften besonders ins Auge fällt. Ins
Hochdeutsche übertragen lautet
eine der Lebensweisheiten:
„Mensch bedenke, was du bedeu-
test, denn Ehrlichkeit und Recht
dauern am längsten, wirst du als
Schelm und Schinder unrecht han-
deln, so mußt du zum Schluß in die
Hölle wandern."*

◁ **Schwalenberg/Town Hall**
*Schwalenberg, in the north-east of
North Rhineland-Westphalia, is
rich in half-timbered houses, and
the Town Hall is, befittingly, the finest of them. The inscriptions are in
Low German dialect. One of them
translates as: "Man, think of your
position, for honesty and justice are
most long-lasting; if you behave as
knave and oppressor, you will end
up in hell."*

übernachtet. Die Sababurg steht noch heute. In ihrer Nähe befindet sich der wohl älteste Tiergarten der Welt. Er wurde im Jahre 1571 von dem Landgrafen Wilhelm IV. gegründet. Großes Aufsehen erregten damals die Rentiere und Elche aus Schweden, die – wie es heißt – auf ihrer Reise nach Hessen begleitet wurden von einer jungen und hübschen Tierpflegerin aus Lappland. Dem Mädchen sei das Leben in der Fremde aber nicht gut bekommen. Das Heimweh habe es übermannt, so wird erzählt, und an gebrochenem Herzen sei es gestorben.

Die Deutsche Märchenstraße beginnt in Hanau, der Geburtsstadt von Jacob und Wilhelm Grimm. Sie führt durch die Schwalm, wo – in Ziegenhain – noch heute die Rotkäppchen zu Hause sind. Die Mädchen tragen dort – zumindest bei Trachtenveranstaltungen – ein rotes Käppchen, Schnatz genannt.

Und von Kassel aus, wo sich ein Grimm-Museum befindet, führt der Weg nach Hannoversch Münden, wo alljährlich im Sommer mit einem lustigen Spiel an das Wirken des Doktor Eisenbarth erinnert wird.

Dieser Doktor Eisenbarth hat tatsächlich gelebt. In der Vorstellung der Menschen war er ein Scharlatan, der „die Leut' auf seine Art

gen. Sababurg Castle still exists. Near it is what surely must be the world's oldest zoo. It was founded in 1571 by Landgrave William IV. The reindeer and elks from Sweden attracted a good deal of interest at that time. They are said to have been accompanied on their trip to Hesse by a pretty young girl from Lapland. But, the story goes, the girl was unhappy in her strange surroundings, and, overcome with home-sickness, eventually died of a broken heart.

The German Fairytale Route begins in Hanau, where the Grimm brothers were born. It runs through Schwalm where – in Ziegenhain – Little Red Riding Hoods are still to be seen: the girls there really do wear little red caps, at least with their traditional folk costumes. Visitors can be reassured, however: there are no wolves in this region any more!

Further to the north, in the Kaufunger Forest, quite close to Kassel, is a hill called Hoher Meissner, where Frau Holle lives, and shakes out her bedding, the feathers falling to the earth in the form of snowflakes. And from Kassel, where there is a Grimm Museum, the Route continues to Münden, where an annual pageant that recalls the life of Doctor Eisenbarth,

Kassel. Le château de Sababurg existe encore aujourd'hui et dans ses environs se trouve ce qui est certainement le plus ancien jardin zoologique du monde. Il fut créé en 1571 par le landgrave Guillaume IV. A l'époque, les rennes et les élans de Suède avaient suscité un très vif intérêt. Ils auraient été accompagnés dans leur voyage par une jeune et jolie Lapone. Mais celle-ci, dit-on, prise du mal du pays, serait morte le cœur brisé de chagrin.

La route allemande des Contes commence à Hanau, la ville natale de Jacob et Wilhelm Grimm. Elle passe dans la région de la Schwalm où – à Ziegenhain – on peut encore voir des petits chaperons rouges. Les petites filles en effet arborent – du moins lors des fêtes folkloriques – un petit bonnet rouge. Mais que l'on se rassure, les loups eux ont disparu!

Plus au nord, dans la forêt de Kaufungen, tout près de Kassel, sur le Hohe Meissner, Dame Holle secoue tant et si bien son édredon que les plumes en tombent sur la terre comme des flocons de neige. Et de Kassel, où se trouve un musée des frères Grimm, la route va à Hannoversch Münden où, chaque été, un spectacle rappelle la vie du fameux Dr Eisenbarth.

Ce docteur Eisenbarth a vraiment

◁◁ **Schwalenberg/Hôtel de ville**
De nombreuses maisons à colombages ornent la ville bourgeoise de Schwalenberg et, comme il convient, la plus belle de toutes est l'hôtel de ville. Celui-ci se remarque tout particulièrement à cause des riches sculptures qui ornent sa façade et de ses inscriptions en bas allemand pleines de sagesse. L'une d'entre elles dit ceci: «Homme, songe à ce que tu es, car l'honnêteté et la justice durent le plus longtemps, mais si tu agis comme un coquin et un exploiteur tu finiras par aller en enfer.»

kurierte". Und hinter ihm her sang man den Spottvers: „Ich mach', daß Blinde wieder gehn und daß die Lahmen wieder sehn."

In Wirklichkeit soll dieser Doktor Eisenbarth aber ein tüchtiger Arzt und Helfer der Menschen gewesen sein, der sich allerdings wegen seiner marktschreierischen Werbemittel bei seinen Kollegen unbeliebt machte.

Eines der bekanntesten Märchen der Welt, das von den Bremer Stadtmusikanten, hat seinen Schauplatz ebenfalls im Wesertal. Möglich, daß der Esel von jener Mühle am Fuße der trutzigen Trendelburg, die am Rande des Reinhardswaldes liegt, auf die Wanderschaft gegangen ist.

Den Hund, so heißt es, habe er bei der Krukenburg getroffen. Denn dort oben hauste ein grausamer Herr, der zwei wunderschöne Töchter hatte, die ihm aber das Leben zur Hölle machten. Gegen die Frauen kam er nicht an. So suchte sich sein Zorn ein anderes Opfer. Das war der Hofhund, der – alt geworden – sich nicht mehr recht zu wehren wußte.

Auf die Katze trafen Esel und Hund in der Nähe von Fürstenberg, wo noch heute sehr feines Porzellan hergestellt wird. Zu jener Zeit aber waren die Menschen dort so arm,

another Grimm fairytale character, takes place.

There was also a real Dr. Eisenbarth. He was looked upon as a charlatan who "cured people in his own way", and a verse children sang behind his back ran: "When I've done, the lame can see, the blind can run." In fact, however, this Dr. Eisenbarth must have been a good doctor who really did help people. But he made himself unpopular among his colleagues with his cheap-jack way of advertising his skills. The gravestone of this "Miracle Doctor", who died on 11th November 1727, can be seen in the graveyard on the north side of St. Aegidius' Church in Münden. One of the most famous fairytales – concerning the Bremen Town Musicians – also has its origins in the Weser Valley. Four animals are the heroes of the tale. It is possible that the donkey set out on its adventures from the mill below the defiant-looking castle of Trendelburg on the fringe of the Reinhard Forest. The second animal in the story, the dog, is supposed to have come from Krukenburg, which he left because his life was made a misery by its master. The donkey and dog joined forces, and met the cat near Fürstenberg, where fine porcelain is still manufactured, as it was then.

existé. On le considérait comme un charlatan qui «guérissait les gens à sa manière». «Je fais marcher les aveugles et voir les paralytiques» fait dire une chanson populaire à ce docteur qu'elle a ainsi immortalisé. En réalité cependant le docteur Eisenbarth avait été un bon médecin, secourable, mais son battage publicitaire l'aurait rendu impopulaire auprès de ses confrères. Le tombeau du «thaumaturge», décédé le 11 novembre 1727, se trouve sur le côté nord de l'église St-Aegidius à Münden.

Un des contes les plus célèbres, celui des musiciens de la fanfare de Brême, se passe également dans la vallée de la Weser. Et il est possible que l'âne de l'histoire soit parti du moulin situé au pied du château de Trendelburg, en bordure de la forêt de Reinhard.

Il aurait rencontré le chien près de Krukenburg. Celui-ci s'était enfui parce que, vieux et faible et incapable d'aller à la chasse, son maître avait voulu le tuer.

L'âne et le chien durent trouver le chat près de Fürstenberg où l'on fabrique toujours de la belle porcelaine. Mais la fois-là les gens y étaient si pauvres que même les souris avaient quitté le pays et que les chats n'avaient ainsi plus rien à se mettre sous la dent.

▷ **Wald bei Kassel Rotkäppchentracht**

Das könnte er sein, der Wald, in dem Hänsel und Gretel sich verirrten. Und vielleicht war das Fachwerkhäuschen einmal die Behausung der bösen Hexe, die die beiden Kinder mästen und verzehren wollte.

Ganz bestimmt aber sind das hier Rotkäppchen: Noch heute verlangt die Tracht der Schwälmerinnen im hessischen Reinhardswald die roten Häubchen für unverheiratete Mädchen.

▷ **The woods near Kassel "Little Red Riding Hoods"**

This might or might not be the forest in which Hansel and Gretel got lost, but these are certainly genuine little red riding hoods: the regional costume here in Reinhards Forest still prescribes red caps for unmarried girls.

▷ **La forêt près de Kassel Costume de chaperon rouge**

Ce pourrait être la forêt où se sont perdus Hans et Gretel. Mais ce sont bien là en tout cas des petits chaperons rouges: aujourd'hui encore le costume régional des habitantes de la région de la Schwalm dans le Reinhardswald hessois prescrit les coiffes rouges pour les jeunes filles.

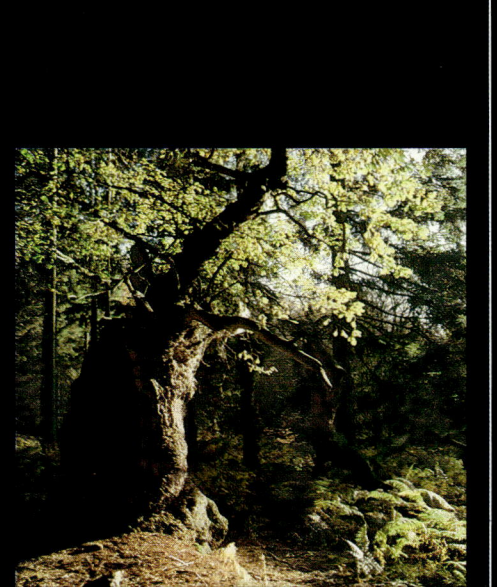

daß selbst die Mäuse das Land verließen und Katzen infolgedessen nichts mehr zu beißen hatten.

Der Hahn aber muß auf dem Dachbalken eines Hauses in Höxter gesessen haben. Er krähte sein Leid in die Welt, daß er zu Maria Lichtmeß in den Kochtopf gesteckt werden solle. Maria Lichtmeß wird – wie man weiß – nur in katholischen Gegenden gefeiert. Und eben in einer solchen Gegend liegt Höxter, in dessen Nähe sich auch das Kloster Corvey befindet, einst eines der großen geistigen Zentren der Christenheit im deutschen Norden.

Fast alle anderen Gebiete an der Weser sind protestantisch. Und die Stadt Karlshafen ist sogar eigens für Protestanten angelegt worden, gleich zu Beginn des 18. Jahrhunderts: Sie wurde zu einer zweiten Heimat für die aus Frankreich geflüchteten Hugenotten. Karlshafen besitzt eine nahezu unversehrt gebliebene barocke Innenstadt.

Eine der interessantesten Gestalten an der Weser ist Karl Friedrich Hieronymus Freiherr von Münchhausen. Er lebte von 1720 bis 1797, war Jäger und Offizier und kehrte nach einem abenteuerlichen Leben, in dessen Verlauf er auch an zwei Türkenkriegen teilgenommen hatte, in seinen Heimatort Bodenwerder zurück. Dort erzählte er seinen

The cat left because the people there were so poor that even the mice had fled, leaving the cat itself with no source of nourishment. The fourth animal, the cock, probably came from Höxter, and he wanted to get away because he was frightened of landing in the pot at Candlemas. Candlemas is, of course, only celebrated in Catholic areas, and Höxter is situated in one of these. Nearby is Corvey Monastery, which was once one of the great spiritual centres of Christianity in the German north.

Nearly all the other districts along the Weser are Protestant. And the town of Karlshafen was, in fact, especially designed to provide a home for Protestants at the beginning of the 18th century: Huguenots who had fled from France. The centre of Karlshafen is still almost entirely pure baroque.

One of the most interesting personalities who had his home on the Weser was Baron Karl Friedrich Hieronymus von Münchhausen. He lived from 1720 to 1797, was huntsman and officer, and, after an adventurous life, in the course of which he took part in two wars against the Turks, returned to his home in Bodenwerder. There it was his practice to tell tall stories to his friends as they sat round the fire in

Le coq a dû se trouver sur le portail d'une maison à Höxter. Il chantait de toutes ses forces avant qu'on lui coupe le cou car on devait le servir au souper de la Chandeleur. La Chandeleur n'est célébrée que dans les régions catholiques et Höxter est précisément située dans l'une d'elles. A proximité se trouve l'abbaye de Corvey qui fut jadis un des grands centres spirituels de la chrétienté dans le Nord de l'Allemagne. Presque toutes les régions en bordure de la Weser sont protestantes. Et la ville de Karlshafen a même été fondée tout spécialement pour les protestants au début du XVIIIe siècle: elle est devenue la deuxième patrie des Huguenots qui avaient fui la France. Le centre baroque de la ville est pratiquement resté intact.

Une des figures les plus intéressantes de la région de la Weser est Karl Friedrich Hieronymus baron de Münchhausen, devenu en France la baron de Crac.Il vécut de 1720 à 1797, avait été chasseur et officier et après une vie aventureuse au cours de laquelle il avait également pris part à deux guerres contre les Turcs, il rentra à Bodenwerder, sa ville natale. C'est là qu'au coin du feu il racontait à ses amis les histoires les plus fantastiques. L'un d'entre eux, le professeur Rudolf Raspe qui, par suite de certaines in-

▷ **Göttingen/Gänselieselbrunnen**

In Göttingen lehrten und forschten einst die Gebrüder Grimm. Eines der Märchen, das sie aufgezeichnet hatten, erzählte vom betrüblichen Schicksal jener Königstochter, die ein Leben als Gänsemagd fristen mußte. Das inspirierte wohl die Göttinger zum Bau ihres Gänselieselbrunnens.

▷ **Göttingen/The Goosegirl's Fountain**

The brothers Grimm once taught and worked in Göttingen. One of the fairy stories they recorded was about a princess who had to work as a goosegirl, and this was no doubt what inspired the Göttingen people to put up their Goosegirl's Fountain.

▷ **Göttingen/Gänselieselbrunnen**

Les frères Grimm ont autrefois enseigné et fait des recherches à Göttingen. Un des contes qu'ils ont transcrits racontait le triste destin d'une fille de roi qui dut passer sa vie à garder des oies. Cette histoire a sans doute inspiré les habitants de Göttingen pour la construction de leur fontaine ornée d'une gardeuse d'oies.

Freunden abends am Kamin die wildesten Geschichten. Einer von diesen, der Professor Rudolf Raspe, der wegen einiger Unregelmäßigkeiten nach England hatte flüchten müssen, stellte die Geschichten zusammen und veröffentlichte sie in Oxford im Jahre 1786 unter dem Titel „Baron M.'s Narrative of His Marvellous Travels and Campaigns in Russia". Sie wurden ein großer Erfolg und sind ein Jahr später von Gottfried August Bürger ins Deutsche übersetzt worden. Bis auf den heutigen Tag werden die Abenteuer des „Lügenbarons" von Münchhausen immer wieder gern gelesen.

Hameln, die Rattenfängerstadt, Minden, wo in stürmischen Nächten der Sachsenherzog Widukind mit seinem wilden Heer durch die Lüfte braust, Wiedensahl, wo Wilhelm Busch, der Vater von Max und Moritz, zu Hause war, das alles sind Stationen an der Märchenstraße wie auch das tausendjährige Verden und die alte Freie Hansestadt Bremen, deren Marktplatz mit dem Roland von 1404, dem alten Rathaus mit seiner eindrucksvollen Renaissancefassade, dem Dom und dem Schütting (Haus der Kaufleute) weltbekannt ist.

Eine Sehenswürdigkeit in dieser zweitgrößten deutschen Hafenstadt ist aber auch die Böttcherstraße, die

196

the evenings. One of these friends, Professor Rudolf Raspe, who was forced to flee to England to escape charges of embezzlement, compiled the stories and published them in Oxford in 1786 as "Baron M.'s Narrative of His Marvellous Travels and Campaigns in Russia". The book was a great success, and only a year later was translated into German by Gottfried August Bürger. The adventures of the "lying baron" are still popular reading today.

Hameln, the Pied Piper's town; Minden, where the Saxon king, Widukind, rides through the air with his wild hordes on stormy nights; and Wiedensahl, where Wilhelm Busch, the "father" of Max and Moritz lived, are all places on the Fairytale Route, as is the thousand-year-old town of Verden, and the Hanseatic city of Bremen, whose market-place with the statue of Roland of 1404, the old town hall with its Renaissance façade, the Cathedral, and the Merchant's Hall, is known throughout the world. Another place of interest in this second largest German port is Böttcherstrasse, which was built in the twenties and thirties of our century, and which, to the people of Bremen, has become a symbol of their close ties with the New World.

délicatesses, avait dû fuir en Angleterre, réunit les histoires et les publia à Oxford en 1786 sous le titre: «Baron M.'s Narrative of His Marvellous Travels and Campaigns in Russia». Le livre obtint un grand succès et, un an plus tard, il fut traduit en allemand par Gottfried August Bürger. Les aventures du fameux baron de Crac sont toujours aussi populaires aujourd'hui.

Hameln, la ville du «Charmeur de rats», Minden où le chef saxon Widukind file à travers les airs avec ses hordes sauvages les nuits d'orage, Wiedensahl, patrie de Wilhelm Busch, le «père» de Max et Moritz, sont autant d'étapes sur la route des Contes au même titre que la cité millénaire de Verden et la vieille ville hanséatique libre de Brême dont la place du Marché avec sa statue de Roland dressée en 1404, l'hôtel de ville à la façade Renaissance, la cathédrale et le Schütting (l'ancienne maison de la Guilde des Négociants) est connue dans le monde entier.

Ce deuxième port de commerce international en Allemagne a encore une autre curiosité. C'est la Böttcherstrasse qui fut aménagée dans les années vingt et trente de notre siècle et qui, pour les habitants de Brême, est devenu le symbole de leurs liens avec le Nouveau Monde.

▷ **Worpswede**
Ende des 19. Jahrhunderts wurde das kleine Dorf am Teufelsmoor weltbekannt. Bedeutende Maler hatten sich hier niedergelassen, darunter Mackensen, Overbeck, Vogeler, Otto Modersohn und dessen berühmtere Frau, Paula Modersohn-Becker. Die Künstlerkolonie lockte auch den Poeten Rainer Maria Rilke nach Norddeutschland.

▷ **Worpswede**
The little village of Worpswede on the edge of the Teufelsmoor in Lower Saxony became world famous at the end of the last century when a number of important painters settled here. They included Mackensen, Overbeck, Vogeler, Otto Modersohn, and his wife Paula Modersohn-Becker, who became more famous than her husband.

▷ **Worpswede**
Le petit village situé en bordure du marais du Diable est devenu mondialement connu à la fin du XIXe siècle. Des peintres étaient venus s'y installer, entre autres Mackensen, Overbeck, Vogeler, Otto Modersohn et sa femme plus célèbre encore, Paula Modersohn-Becker. La colonie d'artistes attira également le poète Rainer Maria Rilke en Allemagne du Nord.

197

in den zwanziger und dreißiger Jahren unseres Jahrhunderts ihr heutiges Aussehen erhielt.

Höchsten künstlerischen Rang hat die in der Böttcherstraße befindliche Sammlung von Werken der Worpsweder Malerin Paula Modersohn-Becker. Worpswede, das traditionsreiche Künstlerdorf, unweit von Bremen gelegen, ist Mittelpunkt des sagenumwobenen Teufelsmoores.

So richtig idyllisch ist es in Bremen im alten Schnoorviertel mit seinen engen Gassen und winzigen Häusern. Wer aber nach Seefahrtsromantik sucht, der muß nach Bremerhaven fahren. In der unmittelbar an der Wesermündung liegenden Hafenstadt befindet sich das Deutsche Schiffahrtsmuseum, wo man eine Hansekogge von 1380 sehen und im Schiffsbauch einer alten Dreimastbark Labskaus essen kann, ein typisches Seemannsgericht. In Bremerhaven gibt es auch noch die weltberühmte Columbuskaje, in den dreißiger Jahren der große Abfertigungsplatz für Reisen über den Atlantik nach Amerika, wie überhaupt Bremerhaven – bereits im vorigen Jahrhundert und dann wieder nach 1945 – der wichtigste Auswandererhafen in Mitteleuropa war.

An art collection of first importance is also to be found in Böttcherstrasse: paintings by Paula Modersohn-Becker, who worked at Worpswede, a traditional artists' village not far from Bremen in the middle of the "Teufelsmoor", a moor landscape rich in legends.

The Schnoor, the old fishermen's quarter, with its narrow streets and tiny cottages, is perhaps the most picturesque part of town, but anyone seeking the romance of the sea would do better to go to Bremerhaven.

At Bremerhaven, Bremen's deep-sea port at the mouth of the Weser estuary, the visitor will enjoy the National Maritime Museum, where the exhibits include a Hanseatic cog – a sailing boat dating back to 1380 – and an old threemaster containing a restaurant serving lobscouse, a typical sailor's dish. In Bremerhaven there is also the famous Columbuskaje, the ship's terminal for the great transatlantic luxury liners of the 1930's. In the 19th century – and again after 1945 – Bremerhaven was the most important emigration port in central Europe.

Une des maisons de la Böttcherstrasse renferme une collection très importante sur le plan artistique: la collection Paula Modersohn-Becker avec des œuvres de l'artiste initiatrice de la colonie de peintres de Worpswede, un village situé non loin de Brême, au milieu du «Teufelsmoor», un paysage de tourbières auréolé de légendes. Le Schnoor, un vieux quartier de pêcheurs, est des plus pittoresques avec ses ruelles étroites et ses minuscules maisons. Mais ceux qui ont la nostalgie des voyages en bateau feront bien de se rendre à Bremerhaven. Dans ce port de mer situé directement à l'embouchure de la Weser se trouve le musée de la Navigation où l'on peut voir un trois-mâts hanséatique datant de 1380. Et, dans la cale d'un autre trois-mâts aménagé en restaurant, on peut déguster le «Labskaus», un plat typique de matelots. Enfin à Bremerhaven, il y a la célèbre Columbuskaje, le quai d'où partaient les grands paquebots transatlantiques dans les années trente. Au XIXe siècle puis à nouveau après 1945, Bremerhaven a été le port d'émigration le plus important en Europe centrale.

▷ **Schulschiff Deutschland in Bremen**

Die alte Hansestadt an der Weser kann auf eine lange Tradition als Zentrum der christlichen Seefahrt zurückblicken. Die Waren werden zwar heute mit modernen Frachtschiffen transportiert und im Containerhafen computergesteuert entladen, doch ist auch in unserer Zeit die alte Windjammerromantik noch nicht völlig verschwunden.

▷ **The training ship "Deutschland" in Bremen**

The ancient Hanseatic town on the River Weser can look back on a long history as a Christian seafaring centre. Goods are now transported in modern freighters and unloaded in the computer-controlled container port, but romantic touches are still to be found here and there.

▷ **Le navire-école «Deutschland» à Brême**

La vieille cité hanséatique sur les bords de la Weser est dotée d'une longue tradition comme centre de navigation. Les marchandises sont certes transportées aujourd'hui sur des cargos modernes, mais le romantisme des voiliers n'a pas disparu pour autant complètement à notre époque.

198

Bad Sachsa mit dem Märchengrund, Bad Lauterberg, Braunlage mit seinem Kurpark, Altenau und das elegante Bad Harzburg zu nennen. Von großer historischer Bedeutung aber ist Goslar, dessen Erzvorkommen im Mittelalter deutsche Kaiser veranlaßte, zumindest vorübergehend dort zu residieren. Die Kaiserpfalz erinnert daran. Die alte Stadt hat ihr mittelalterliches Bild über die Zeiten hinweg bewahrt.

Im Umfeld des Harzes sollte man Göttingen besuchen, wo auf dem Marktplatz der Brunnen mit dem Gänseliesel steht. Es ist das meistgeküßte Mädchen der Welt. Seine Verehrer sind zumeist Studenten der Göttinger Universität.

Wer zwischen Harz und Heide unterwegs ist, der sollte sich Hildesheim nicht entgehen lassen, die Stadt des tausendjährigen Rosenstocks am Dom. Wie so vieles in Hildesheim, so schien auch er sein Ende mit den Zerstörungen im Zweiten Weltkrieg gefunden zu haben. Doch wie durch ein Wunder fing er im Sommer 1945 zu blühen an, was die Hildesheimer als gutes Omen werteten.

Hannover, die Hauptstadt Niedersachsens, ebenfalls schwer getroffen im Zweiten Weltkrieg, gehört zu den großen Einkaufsstädten des Landes. Die Altstadt wurde – soweit

stance. Among the country towns in the western part of the Harz, Bad Sachsa, with its Fairytale Park, Bad Lauterberg, Braunlage with its spa gardens, Altenau, and the elegant Bad Harzburg, should be mentioned.

One of the most historical places in the region is Goslar, whose ore resources were large enough to persuade German emperors to reside there, at least temporarily, in the Middle Ages. The imperial palace is a reminder of those times, and large parts of the town have retained their medieval substance.

Not far from the Harz Mountains is Göttingen, where the Goosegirl Liesel is honoured with a statue on the market square. She is the most-kissed girl in the world. Her admirers are mostly students from Göttingen University.

Anyone travelling from the Harz towards Lüneburg Heath should not miss Hildesheim, the town with the thousand-year-old rose tree by the Cathedral. It seemed that the rose – like so much else in Hildesheim – had been destroyed in the Second World War. But it started to blossom again in the summer of 1945 after all, an event that was taken by the Hildesheimers as a good omen.

Hanover, the capital of Lower Saxony, severely damaged in the

Sachsa avec son parc féerique, Bad Lauterberg, Braunlage avec ses installations de cure et son beau parc, Altenau et l'élégant Bad Harzburg. Toutefois, c'est Goslar qui, dans cette région, a une grande importance historique. Ses gisements de minerai avaient, au moyen âge, amené les empereurs allemands à y résider, du moins temporairement. Le palais impérial témoigne de cette époque dans une ville qui a, en grande partie, conservé ses traits médiévaux à travers les siècles.

Dans les environs du Harz, il faudrait visiter Göttingen où, sur la place du Marché, s'élève une fontaine ornée d'une gardeuse d'oies. Cette Liesel est la jeune fille la plus embrassée au monde. Ses admirateurs sont pour la plupart des étudiants de l'université de Göttingen.

Quiconque se rend du Harz vers la lande de Lunebourg doit s'arrêter à Hildesheim, la ville au rosier millénaire au chevet de la cathédrale. On avait cru un moment que le rosier avait péri – comme tant d'autres choses à Hildesheim – dans les destructions de la deuxième guerre mondiale. Mais, comme par miracle, il a refleuri pendant l'été 1945, ce qui a été considéré comme un bon présage par les habitants de la ville.

Hanovre, la capitale de la Basse-

▷ Lüneburger Heide

„Vier hohe Zeiten hat die Heide, einmal im Jahr blüht sie", so umschrieb der Heimatdichter Hermann Löns die Tatsache, daß die Lüneburger Heide alljährlich im Spätsommer ihren ganzen Charme entfaltet. Dann bedeckt das Heidekraut mit kräftiger violetter Blüte die weiten Flächen, aufgehalten nur hier und da von schlanken Birkengruppen, die einem Heidschnuckenstall Schutz gewähren.

▷ Lüneburg Heath

Lüneburg Heath, the largest heathland region in Germany, is at its best in late summer when the heather is in bloom. The flat surface is interrupted here and there by groups of birch trees, which often provide protection for sheds for the typical Lüneburg sheep called "Heidschnucken".

▷ La lande de Lunebourg

A la fin de l'été, la lande de Lunebourg déploie tout son charme. Elle est alors recouverte d'un tapis de bruyère qui étale ses fleurs violettes, entrecoupé çà et là d'un groupe de bouleaux abritant une bergerie.

möglich – wieder aufgebaut, Vorhandenes mit großer Sorgfalt restauriert. Nahezu unversehrt blieben vor allem auch die königlichen Gärten in Herrenhausen. Der Große Garten wurde im Jahre 1666 angelegt. Er ist eine der bedeutendsten historischen Gartenanlagen in Europa.
Braunschweig, die Stadt des Herzogs Heinrich des Löwen, mit der Burg Dankwarderode zählt ebenso zu den sehenswerten Städten des Landes wie das romantische Wolfenbüttel, wo der deutsche Dichter Gotthold Ephraim Lessing wichtige Jahre seines Lebens verbrachte, und wie die alte Herzogenstadt Celle, in deren Schloß sich das älteste noch bespielte deutsche Theater befindet. Bekannt ist Celle für seine gut erhalten gebliebenen Fachwerkbauten. Die alte Stadt liegt im südlichen Teil der Lüneburger Heide, die eines der interessantesten Gebiete in Deutschland ist. Die Heide mit ihren Wacholderhainen und beschaulichen Dörfern ist eine Kulturlandschaft. Um sie zu erhalten, um zu verhindern, daß dort wieder Laub- und Nadelhölzer wachsen, werden Heidschnuckenherden über die Heide getrieben. Heidschnucken, die zur Familie der Schafe gehören, stehen in der Obhut eines Schäfers und seines Hundes.

Ein besonders eindrucksvolles Bild

Second World War, is one of the region's main shopping centres. The old part of the city was rebuilt as far as possible, and what had survived has been carefully restored. The Royal Gardens in Herrenhausen survived the war almost unscathed. Laid out in 1666, the Grosse Garten is one of the most important historical gardens in Europe.
Braunschweig (Brunswick), the town of Duke Henry the Lion, with Dankwarderode Castle, is another place worth seeing, as is romantic Wolfenbüttel, where the German writer Gotthold Ephraim Lessing spent important years of his life, and the old ducal town of Celle, whose palace houses the oldest German theatre still in use. Celle is known for its well-preserved half-timbered houses.
Celle lies in the southern part of Lüneburg Heath, one of the most interesting regions in Germany. The heath, with its juniper groves and picturesque villages is a man-made landscape. In order to preserve it, and prevent the re-establishment of mixed forestland, herds of moorland sheep are maintained to graze there. They make a pleasant sight as they wander across the heath, guarded by shepherd and dogs.
The heath looks particularly splendid when it is in full bloom in

Saxe, également gravement touchée pendant la dernière guerre, est une des plus grandes villes commerçantes de la région. La vieille ville a été reconstruite dans la mesure du possible et ce qui avait survécu aux destructions soigneusement restauré. Les jardins royaux de Herrenhausen sont presque restés intacts. Le Grand Jardin a été aménagé en 1666. C'est l'un des jardins historiques les plus importants d'Europe. Brunswick, la ville de Henri le Lion, avec son vieux château, Burg Dankwarderode, compte parmi les villes pittoresques de la région au même titre que la romantique cité de Wolfenbüttel, où le poète allemand Gotthold Ephraim Lessing a passé des années importantes de sa vie, et que l'ancienne ville ducale de Celle dont le théâtre du château est le plus ancien théâtre d'Allemagne. La vieille ville est située dans la partie sud de la lande de Lunebourg, une des régions les plus intéressantes d'Allemagne. La lande avec ses bouquets de genévriers et ses villages pittoresques est un paysage civilisé. Pour le garder en cet état, pour empêcher que les forêts d'arbres à feuilles caduques et de conifères ne s'y réinstallent, on y fait paître des troupeaux de mouton d'une race particulière.
La lande est particulièrement belle

▷ **Einbeck**
Weit über hundert gut erhaltene, bisweilen reichverzierte Fachwerkhäuser künden vom Wohlstand der alten Bierbrauerstadt. Bereits im 14. Jahrhundert wurde Einbecker Bier in großen Trecks nach Bremen, Hamburg und Lübeck gebracht und auf hanseatischen Koggen bis nach Amsterdam und Reval verschifft. Mit Einbecker Bier soll sich auch Martin Luther gestärkt haben, bevor er auf dem Reichstag zu Worms Kaiser Karl V. gegenübertrat.

▷ **Einbeck**
Well over a hundred well-preserved half-timbered houses reflect the long-standing prosperity of the old beer-brewing town of Einbeck. Einbeck beer used to be transported all the way to Bremen, Hamburg, and Lübeck as early as the 14th century, and was shipped on Hanseatic vessels as far as Amsterdam and Reval (now Tallinn).

▷ **Einbeck**
Plus d'une centaine de maisons à colombages attestent de la prospérité de l'ancienne ville de brasseurs. Dès le XIVᵉ siècle, la bière d'Einbeck était acheminée par convois vers Brême, Hambourg et Lubeck et transportée ensuite jusqu'à Amsterdam et Tallin.

◁ **Lüneburg/Burmesterstraße**
▷ **Lüneburg/Am Stintmarkt**

Salz und Lüneburg waren früher fast identische Begriffe. Ein altes Sprichwort lautet denn auch: „De sülte dat is Lüneburg", was soviel heißt wie: Wer Salz sagt, muß auch Lüneburg sagen. Der Handel mit dem „weißen Gold" förderte den Wohlstand der Bürger, der Wohlstand wiederum die Schönheit der Heidestadt. Noch heute hat Gültigkeit, was Ricarda Huch vor rund 50 Jahren über Lüneburg schrieb. „Die Häuser mit den gestuften Backsteingiebeln stehen da wie versteinerte Schilde, die unerschütterlich ein anvertrautes Leben hüten, das längst verronnen ist."

◁ **Lüneburg/Burmesterstrasse**
▷ **Lüneburg/Am Stintmarkt**

Salt and Lüneburg were at one time almost interchangeable terms. An old saying goes: "Salt – that is Lüneburg." Trading with the "white gold" brought prosperity to the town, and this is reflected in its fine houses. What Ricarda Huch wrote with reference to Lüneburg about 50 years ago still holds true: "The houses, with their stepped brickwork gables, are like petrified shields which continue to protect a traditional way of life long since past."

◁ **Lunebourg/Burmesterstrasse**
▷ **Lunebourg/Am Stintmarkt**

Lunebourg était autrefois presque synonyme de sel. Selon un vieux dicton: «Qui dit sel doit aussi dire Lunebourg.» Le commerce de «l'or blanc» fit la prospérité des habitants et cette prospérité amena à son tour la beauté de la ville de la lande. Ce que Ricarda Huch écrivait il y a une cinquantaine d'années sur Lunebourg est toujours d'actualité. «Les maisons avec leurs pignons en brique ont l'air de boucliers pétrifiés protégeant inébranlablement une vie qui leur a été confiée mais qui s'est enfuie depuis longtemps.»

◁ **Braunschweig/Der Alte Rathausmarkt**

Das Mittelalter ist noch lebendig in der alten Stadt Heinrichs des Löwen. Kühn behauptet sich Weltliches neben Kirchlichem, das spätgotische Rathaus (rechts) mit reichem Schmuck neben der Martinikirche und dem zierlichen Marienbrunnen.

▷ **Hannover/Das Neue Rathaus**

Die Morgennebel geben den Blick auf Hannovers Rathaus noch nicht frei. Doch läßt die Silhouette der Kuppel erahnen, welch gewaltiges Bauwerk hier in die Höhe ragt.

◁ **Brunswick/The Old Town Hall Market**

The Middle Ages are still alive in the city of Henry the Lion. Secular and ecclesiastical elements join here to form a fine ensemble: the late-Gothic Town Hall (r.), with its rich ornamentation, and St. Martin's Church; in the foreground is the graceful St. Mary's fountain.

▷ **Hanover/The New Town Hall**

The early morning mist casts a veil over Hanover's Town Hall. But the silhouette of the cupola alone suggests what an impressive building lies below it.

◁ **Brunswick/Altstadtmarkt**

Le moyen âge est encore vivant dans l'ancienne ville de Henri le Lion. Le temporel s'affirme audacieusement à côté du spirituel, l'hôtel de ville de style gothique tardif (à droite) richement décoré à côté de la Martinikirche, l'église St-Martin, et de la gracieuse fontaine Notre-Dame.

▷ **Hanovre/Le nouvel hôtel de ville**

La brume matinale brouille encore la vue de l'hôtel de ville de Hanovre. Mais la silhouette de la coupole laisse deviner qu'il s'agit là d'un imposant édifice.

213

◁ **Hildesheim/Kreuzgang von St. Michael**

Die evangelische Hauptkirche Hildesheims war der Inbegriff einer „Gottesburg", wie man sie an der Ostgrenze des ottonischen Reiches als Symbol gegen die anstürmenden Heiden errichtete. Sie wurde von Bischof Bernward 1010 erbaut.

▷ **Goslar/Huldigungssaal im Rathaus**

Im Grunde ist das spätgotische Ratsherrenzimmer nur eine enge und niedrige Stube. Zur Kostbarkeit wird es aber durch die einzigartigen Decken- und Wandmalereien.

◁ **Hildesheim/St. Michael's Cloisters**

The main Protestant church of Hildesheim was an archetypal "fortress of God" of the kind erected on the eastern border of the Ottonian Empire.

▷ **Goslar/Hall of Homage in the Town Hall**

Fundamentally, this late-Gothic council chamber is little more than a rather small, low-ceilinged room, but it is transformed into an architectural gem by its unique Gothic wall and ceiling paintings.

◁ **Hildesheim/Cloître de St-Michel**

La principale église protestante de Hildesheim était l'incarnation d'une «forteresse de Dieu» telle qu'on en élevait à la frontière orientale de l'Empire ottonien.

▷ **Goslar/Salle de l'Hommage dans l'hôtel de ville**

La salle du conseil de style gothique tardif n'est au fond qu'une pièce étroite et basse. Mais les panneaux peints des murs et du plafond tout à fait uniques lui confèrent une grande valeur.

◁ **Moorlandschaft an der Wümme**

Wer könnte den Reiz dieser Landschaft besser wiedergeben als ein Dichter? Rilke etwa nannte sie ein „seltsames Land": „Flach liegt es da, fast ohne Falte, und die Wege und Wasserläufe führen weit in den Horizont hinein. Dort beginnt ein Himmel von unbeschreiblicher Veränderlichkeit und Größe."

▽ **Güstritz im Wendland**

Im alten deutsch-slawischen Grenzraum hat sich eine besondere Form der Dorfgestaltung erhalten: das Rundlingsdorf. Die einzelnen Gehöfte gruppieren sich um einen Rundplatz, der nur nach einer Seite hin offen ist. Als eines der schönsten Rundlingsdörfer gilt Güstritz.

◁ **Moorland by the River Wümme**

Who could better describe the charm of this landscape than a poet? Rilke, for example, called it a "strange land": "It lies flat, almost without a wrinkle, and the paths and waterways lead to the horizon. And there begins a sky of indescribable variability and extent."

▽ **Güstritz in Wendland**

A special kind of village shape has survived in what was once the border area between German and Slav territories: the circular village. The houses are grouped around a village green which is only open to one side.

◁ **Paysage au bord de la Wümme**

Qui mieux qu'un poète pourrait rendre le charme de ce paysage? Rilke, par exemple, l'appelait un «étrange pays»: «Il s'étend à plat, presque sans ride, et les chemins et les cours d'eau se perdent à l'horizon. Là commence un ciel d'une grandeur indescriptible.»

▽ **Güstritz dans le pays des Wendes**

Dans l'ancienne région frontalière germano-slave, une forme particulière de village a été conservée: le village circulaire. Les différentes fermes sont groupées autour d'une place ouverte uniquement d'un côté.

217

Hamburg und das Alte Land

Der Fischmarkt, der jeden Sonntagmorgen eine geradezu magische Anziehungskraft auf die verrücktesten Typen ausübt, ist ebenso charakteristisch für Hamburg wie die weltberühmte Reeperbahn, das Vergnügungsviertel der Seeleute. Beides sollte man sich unbedingt in der alten Hansestadt an der Elbe anschauen.

Hamburg, das große nordeuropäische Handels- und Industriezentrum, hat aber auch andere Sehenswürdigkeiten zu bieten – vor allem rund um den Jungfernstieg. Da gibt es Einkaufsviertel, Passagen mit Cafés, Kneipen und Edelrestaurants. Die Theater der Stadt gehören zur deutschen Spitze, die Museen – darunter die Kunsthalle und das Museum für Kunst und Gewerbe – genießen internationalen Ruf.

Wer die Idylle sucht, der findet sie im Freizeit- und Erholungspark Planten un Blomen, nur wenige Minuten vom Zentrum der Stadt entfernt, bei einer Dampferfahrt auf der Außenalster oder bei einem Bummel durch Pöseldorf. Weltberühmt ist auch Hagenbecks Tierpark, der größte Privatzoo Deutschlands.

Wahrzeichen der Stadt aber ist der „Michel", die St.-Michaelis-Kirche. Sie wurde von 1751 bis 1762 erbaut

Hamburg and the Altes Land Region

The Sunday morning Fish Market, which seems to exercise an almost magnetic attraction for an extraordinarily mixed crowd of people, is just as characteristic of Hamburg as the Reeperbahn, in St. Pauli, the world-famous seamen's amusement quarter. Neither should be missed on a visit to the old Hanseatic city on the River Elbe.

But Hamburg, one of the great north European commercial and industrial centres, has plenty more to offer – especially in the vicinity of the Jungfernstieg – a road fronting on the basin called Binnenalster. It is the main area for shops, cafés, pubs, and exclusive restaurants. Hamburg's theatres rank among the best in Germany, and the museums – among them the Kunsthalle (Art Gallery) and Museum für Kunst und Gewerbe (Decorative Arts and Crafts) – are internationally renowned.

The Planten un Blomen Park, only a few minutes from the city centre, a boat trip on the Outer Alster, or a stroll through Pöseldorf provide idyllic alternatives. Hamburg also boasts Germany's largest private zoo: the world-famous Hagenbecks Tierpark.

"Michel", or St. Michael's Church is the city's emblem. It was built between 1751 and 1762, and, with its

Hambourg et l'Altes Land

Le marché aux poissons qui, chaque dimanche, exerce un attrait quasi magnétique sur une foule bigarrée est tout aussi caractéristique de Hambourg que la célèbre Reeperbahn, le quartier des établissements de nuit fréquentés par les marins. Ni l'un ni l'autre ne doivent manquer au programme d'une visite de la vieille cité hanséatique sur l'Elbe.

Hambourg, le grand centre industriel et commercial de l'Europe du Nord, a cependant encore d'autres curiosités à offrir – et notamment tout autour du Jungfernstieg. On y trouve des quartiers commerçants, des passages avec des cafés, des bistrots et des restaurants élégants. Les théâtres de Hambourg sont parmi les meilleurs d'Allemagne; les musées – dont la Kunsthalle (Palais des Beaux-Arts) et le Museum für Kunst und Gewerbe (Musée des Arts et Métiers) – ont une renommée internationale.

Le parc de «Planten un Blomen», à quelques minutes seulement du centre de la ville, un trajet en bateau sur l'Alster extérieure ou une promenade à travers Pöseldorf sont autant d'expériences idylliques. Hambourg s'enorgueillit également de posséder le plus grand jardin zoologique privé d'Allemagne, le célèbre Hagenbecks Tierpark.

und ist mit ihrem sehr markanten, 132 Meter hohen Turm die größte und höchste norddeutsche Barockkirche.

Von der Plattform des Turmes hat man einen weiten Blick über das Häusermeer der Weltstadt und das flache Land vor ihren Toren.

Zu den eindrucksvollen Anlagen in Hamburg zählt der Rathausmarkt mit dem Rathaus, das Ende des vorigen Jahrhunderts erbaut wurde. Das im Stil der deutschen Renaissance errichtete Bauwerk ruht auf 4000 Pfählen.

Eines der großen deutschen Volksfeste ist der Hamburger Dom, der alljährlich von Anfang November bis Anfang Dezember auf dem Heiligengeistfeld stattfindet.

Nördlichster Punkt der Freien und Hansestadt Hamburg ist die Insel Neuwerk, die Cuxhaven vorgelagert ist und von dort bei Ebbe zu Fuß erreicht werden kann. Auch verkehren dann Pferdefuhrwerke auf dem Watt zwischen dem Festland und der Insel.

Auf dem linken Ufer der Elbe ragt die Stadt Hamburg ins Alte Land hinein, eines der größten Obstanbaugebiete in Deutschland. Berühmt sind vor allem die Altenländer Kirschen.

Während der Blütezeit fahren Millionen von Touristen ins Alte Land,

striking tower (432 ft), is the highest and largest north German baroque church. 450 steps or a lift take you to a platform in the tower which provides a panoramic view of the city and the surrounding countryside.

One of Hamburg's most impressive buildings is the town hall, built in the Renaissance style at the end of the last century. It rests on 4,000 piles.

Another Hamburg attraction is the Hamburger Dom, one of the greatest German fairs, which takes place annually from the beginning of November to the beginning of December on Heiligengeistfeld, an open space north of St. Pauli.

The most northerly point of the Free and Hanseatic City of Hamburg (which is one of Germany's ten Länder, or federated states) is the island of Neuwerk, off the coast near Cuxhaven. It can be reached on foot from Cuxhaven during low tide. Horses and carts can also cross the mud flats between the mainland and the island.

On the left bank of the River Elbe, Hamburg spreads into the Altes Land, one of Germany's largest fruit-growing regions. It is especially famous for its cherries. When the trees are in bloom, millions of tourists visit Altes Land to enjoy the

«Michel» ou l'église St-Michel est l'emblème de la ville. Edifiée de 1751 à 1762, elle est avec sa tour de 132 mètres de haut la plus grande et la plus haute église baroque du Nord de l'Allemagne.

De la plate-forme de la tour on jouit d'un beau panorama sur la ville et ses environs.

L'hôtel de ville, construit à la fin du siècle dernier, compte parmi les édifices les plus impressionnants de Hambourg. Erigé dans le style de la Renaissance allemande, il repose sur 4000 pilotis.

Une des plus grandes fêtes populaires d'Allemagne est le Hamburger Dom qui se tient chaque année du début novembre au début décembre sur le Heiligengeistfeld, un vaste champ près de St-Pauli.

Le point le plus septentrional de la ville libre et hanséatique de Hambourg est l'île de Neuwerk, devant Cuxhaven, que l'on peut atteindre à pied à marée basse. Des chevaux et des voitures peuvent également traverser l'estran vaseux entre le continent et l'île.

Sur la rive gauche de l'Elbe, Hambourg avance dans l'Altes Land, une des plus grandes régions d'arboriculture fruitière en Allemagne. Les cerises de cette région sont particulièrement renommées.

Au moment de la floraison, des mil-

◁ **Im Hamburger Hafen**
Hamburg nennt sich sehr gern „Deutschlands Tor zur Welt". Mit Recht, denn hier liegt der wichtigste deutsche Seehafen mit einer Gesamtfläche von 75 Quadratkilometern. Das hätte sich wohl Kaiser Friedrich Barbarossa nicht träumen lassen, als er am 7. Mai 1189 „Hammaburg" Handels-, Zoll- und Schiffahrtsprivilegien gewährte und damit die Entwicklung des Hafens einleitete. Einige Miesepeter behaupten zwar, der Freibrief sei eine plumpe Fälschung aus dem 13. Jahrhundert, doch hält das die Hamburger nicht davon ab, den 7. Mai alljährlich als Überseetag zu feiern.

◁ **Hamburg Port**
Hamburg people like to call their city "Germany's gateway to the world", and indeed it is Germany's largest seaport with a total area of over 29 square miles.

◁ **Dans le port de Hambourg**
Hambourg se nomme volontiers «la porte de l'Allemagne sur le monde». A juste titre car la ville a le port maritime le plus important d'Allemagne avec ses 75 kilomètres carrés de superficie.

um sich an der Pracht der weißen und rosaroten Blüten zu erfreuen, die beeindruckend aussieht vor der Kulisse der mit reichen Fachwerkfassaden ausgestatteten Bauernhäuser. Sie gehören zu den schönsten in Norddeutschland. Viele dieser Häuser stehen noch in Hofanlagen, die durch eine sogenannte Prunkpforte zu betreten sind. Diese reich verzierten Pforten stammen aus einer Zeit, da die Höfe – Wasserburgen gleich – von Gräben umgeben waren.

Zu einem Schmuckstück hat sich in den vergangenen Jahren die ehemalige Hansestadt und Schwedenfestung Stade entwickelt. Die alte Stadt mit ihrem nahezu intakten mittelalterlichen Kern ist liebevoll restauriert worden. Der Schwedenspeicher, in dem einst das schwedische Militär seine Lebensmittel aufbewahrte, birgt heute ein Museum. In seiner Nachbarschaft stehen die Stadtwaage und ein Kran aus dem 14. Jahrhundert.

Ein Bummel durch die Stadt und ihre gemütlichen Gassen lohnt immer. In der Bäckerstraße, zum Beispiel, steht das älteste Haus von Stade. Es stammt aus dem 16. Jahrhundert. Und im historischen Gasthof Knechthausen sollte man nach dem berühmten Eierbier fragen. Dies ist eine Erfindung der Stader

sight of the white and pink blossoms interspersed with fine half-timbered farmhouses, which are among the most beautiful in north Germany. Many of these houses are set in yards which are entered by richly decorated portals: relics of an age when the farmhouses were surrounded by moat-like ditches.

Near the Elbe in the Altes Land region is Stade, a former Hanseatic town which was under Swedish rule in the 17th century and was used as a base for the Swedish army. The old town with its almost intact medieval centre has become a real gem in recent years, thanks to careful restoration. The Schwedenspeicher, a Swedish military storehouse, is now used as a museum. Nearby are the town weighbridge and a 14th century crane.

A stroll through the town is an enchanting experience. Stade's oldest house – 16th century – is in Bäckerstrasse, one of the many pleasant streets. Such gentle exercise is well rounded off by a draught of the famous "egg beer" in the historic inn called Gasthof Knechthausen. This drink was invented by the brewery workers of Stade who are at the same time gravediggers – a function they took over during the pest in the Middle Ages and which they

lions de touristes viennent dans l'Altes Land se régaler à la vue des fleurs blanches et roses qui éclatent devant les maisons paysannes à colombages qui sont parmi les plus belles en Allemagne du Nord. Un grand nombre d'entre elles sont encore entourées d'une cour à laquelle on accède par un portail richement décoré. Ces portails datent d'une époque où les fermes étaient cernées d'un fossé.

Stade, l'ancienne ville hanséatique et place forte suédoise est devenue un véritable joyau au cours de ces dernières années. La vieille ville avec son centre médiéval a été soigneusement restaurée. Le Schwedenspeicher, un entrepôt militaire suédois, abrite aujourd'hui un musée. A proximité se trouvent le pont-bascule municipal et une grue du XIVᵉ siècle. Une promenade à travers la ville et ses charmantes ruelles est des plus agréables. Dans la Bäckerstrasse, par exemple, on peut voir la plus ancienne maison de Stade – elle date du XVIᵉ siècle. Et, dans l'auberge historique de Knechthausen, il ne faut pas manquer de commander la fameuse bière à l'œuf. C'est une boisson chaude, épaisse, faite de bière brune et d'œufs battus assaisonnée d'un peu de cannelle et de citron. Les habitants de Stade affirment qu'il

◁ **Stade/Am Alten Hafen**
Stade ist stets eine stattliche Hansestadt geblieben, auch wenn zahlreiche Gebäude dem großen Brand von 1659 zum Opfer fielen. Gerettet wurde das prächtige Bürgermeister-Hintze-Haus (Mitte) mit seiner Barockfassade aus dem 17. Jahrhundert. Es gilt als mustergültiges Beispiel für das Haus eines wohlhabenden Kaufmanns im ausgehenden Mittelalter.

◁ **Stade/The Old Port**
Even after a disastrous fire in 1659 Stade remained a prosperous Hanseatic town with many fine buildings. One that escaped the fire was the splendid Mayor Hintze House (centre), with its 17th century baroque façade. It is regarded as a particularly fine example of a wealthy merchant's house from the end of the Middle Ages.

◁ **Stade/Au vieux port**
Stade est resté une imposante ville hanséatique même si un grand nombre de ses édifices ont été victimes du grand incendie de 1659. La magnifique maison du bourgmestre Hintze (au milieu) avec sa façade baroque du XVIIᵉ siècle a pu être sauvée. C'est l'exemple même de la maison d'un riche négociant de la fin du moyen âge.

223

Brauknechte, die zugleich – und bis auf den heutigen Tag – auch Totengräber sind – eine Funktion, die aus der Zeit der Pest im Mittelalter als besonderes Privileg übriggeblieben ist.

Das Stader Eierbier ist ein dickflüssiges und heißes Getränk aus dunklem Bier und geschlagenen Eiern. Es wird gewürzt mit etwas Kaneel und Zitrone. Die Stader behaupten, es gebe überhaupt nichts Besseres. Und wer es gerade trinkt, der glaubt das auch.

Bei einer Reise elbabwärts sollte eine kurze Rast auch in Glückstadt eingelegt werden. Allein schon wegen des Marktplatzes, an dem ein im Stile der Renaissance erbautes Rathaus steht. Auf der Spitze des Kirchturmes aber dreht sich kein Wetterhahn nach dem Wind, sondern eine Nachbildung der Göttin Fortuna, eine Warnung für jeden, der sich allzusehr auf sein Glück verläßt.

have retained as a privilege ever since.

Stade egg beer is a sticky, hot drink made of dark beer and beaten egg, spiced with a little cinnamon and lemon. The people of Stade maintain there is nothing better – a sentiment one can believe when actually drinking it.

When travelling down the Elbe it is well worth while stopping in Glückstadt for a break – if only to see the market place, with its town hall in Renaissance style. The weather vane on the church is not in the shape of a cock, but represents the goddess of Fortune: a warning to all and sundry not to rely too much on their luck.

n'existe rien de meilleur, ce que l'on croit volontiers lorsqu'on la boit.

Un voyage dont l'itinéraire descend l'Elbe doit comporter un petit arrêt à Glückstadt rien que pour voir, par exemple, la place du Marché avec son hôtel de ville Renaissance. La girouette du clocher n'a pas la forme d'un coq mais représente la déesse de la fortune, un avertissement à tous ceux qui sont trop tentés de s'en remettre à la chance.

▷ **Frühling im Alten Land**
Eine strahlende Frühlingslandschaft wie diese muß Goethe vor Augen gehabt haben, als er jubilierend sein „Mailied" verfaßte: „…Wie glänzt die Sonne! Wie lacht die Flur! Es dringen Blüten aus jedem Zweig und tausend Stimmen aus dem Gesträuch und Freud und Wonne aus jeder Brust…"

▷ **Spring in the "Altes Land"**
With its splendid farmhouses, the Altes Land – "Old Land" –, not far from Hamburg, is worth a visit any time, but especially in spring, when all the many fruit trees are in full bloom.

▷ **Le printemps dans l'Altes Land**
Un splendide paysage printanier tel que Gœthe a dû avoir devant les yeux lorsque, plein d'allégresse, il écrivit son «Chant de mai»: «… Combien le soleil brille! Combien la campagne est riante! Des fleurs sortent de chaque branche et mille voix des buissons et la joie et l'extase de chaque poitrine.»

Holstein

Allabendlich um neun läuten die Glocken von St. Petri in Ratzeburg. Und damit verbunden ist eine alte Geschichte. Denn einmal, vor vielen, vielen Jahren, als das Schloß von Ratzeburg noch stand, lebte dort ein Fräulein, das sich beim Pilzesammeln im Walde verirrt hatte. Lange wußte es nicht, wohin es sich wenden sollte, und schon glaubte es sich in der Wildnis verloren, da vernahm es die Glocken von St. Petri. Das Fräulein folgte dem Klang und kehrte wohlbehalten ins Schloß zurück. Aus Dankbarkeit aber verfügte es, daß künftig an jedem Abend die Glocken läuten sollten. Und so geschieht es noch heute.

Ratzeburg, auf einer Insel im Ratzeburger See und in unmittelbarer Nähe der Grenze zur DDR gelegen, ist Mittelpunkt des Naturparks Lauenburgische Seen, von dessen 400 Quadratkilometern allein 40 auf 35 Seen entfallen und 80 auf Wälder. In Ratzeburg sollte man nicht nur den Dom besuchen, sondern vor allem auch das Barlachhaus. Der bedeutende deutsche Bildhauer Ernst Barlach (1870 bis 1938) hat in Ratzeburg seine Kindheit verlebt.

Zu den Ferienlandschaften im nördlichsten deutschen Bundesland Schleswig-Holstein gehört auch die

Holstein

The bells of St. Peter's Church in Ratzeburg are rung every night at 9 p.m. There is an old story connected with this custom. For many years ago, when Ratzeburg Castle still stood, a young lady who lived there lost her way while collecting mushrooms in the woods. She had been lost for some time, and was in despair when she heard the bells of St. Peter's. She followed the sound of the bells, and thus found her way back to the castle. In gratitude, she decreed that the bells should be rung every evening, and the custom is still adhered to.

Ratzeburg, which lies on an island in the Ratzeburger See, and is close to the border to the GDR, is the centre of Lauenburg Nature Park, of whose 250 square miles, no less than 25 are taken up by 35 lakes, and 50 by woodland. In Ratzeburg itself not only the Cathedral is worth a visit, but also Barlach House, which commemorates the fact that the leading German expressionist sculptor Ernst Barlach (1870–1938) spent his childhood in Ratzeburg.

Another delightful "lake district" for holiday-makers is the region called Holsteinische Schweiz (the Switzerland of Holstein) in the most northern of the Federal Republic's federated states, Schleswig-Hol-

Holstein

Tous les soirs à neuf heures, les cloches de St-Pierre sonnent à Ratzeburg. Il s'agit là d'une coutume à laquelle se rattache une légende. Il y a bien, bien longtemps, à l'époque où le château de Ratzeburg existait encore, une jeune fille qui vivait en ces lieux s'était perdue dans la forêt en ramassant des champignons. Elle désespérait de ne jamais pouvoir retrouver son chemin lorsqu'elle entendit les cloches de St-Pierre. Guidée par leur son, elle rentra saine et sauve au château. En signe de reconnaissance, elle décréta que les cloches sonneraient désormais chaque soir, ce qu'elles font encore aujourd'hui.

Ratzeburg, situé sur une île dans le lac de Ratzeburg et à proximité de la frontière avec la RDA, est au centre du parc naturel des lacs de Lauenburg. Sur ses 400 kilomètres carrés de superficie, 40 sont occupés par 35 lacs et 80 par des forêts. A Ratzeburg, il ne faut pas se contenter de visiter la cathédrale. Il faut aussi voir la maison d'Ernst Barlach où le grand sculpteur allemand (1870–1938) a passé son enfance et qui est à présent aménagée en musée.

Au nombre des régions de vacances du Land de Schleswig-Holstein, il y a celle que l'on appelle la Holsteinische Schweiz (la Suisse du Hols-

von großen Seen durchzogene Holsteinische Schweiz. Wenn aber von dem besonderen Juwel in dieser Region die Rede ist, dann kann nur Lübeck gemeint sein, einst die Königin der Deutschen Hanse, dessen Altstadt zu den eindrucksvollsten mittelalterlichen Denkmälern in der nördlichen Hälfte der Bundesrepublik Deutschland gehört. Wahrzeichen der Stadt ist das Holstentor, das im Jahre 1478 als Bollwerk der Stadtbefestigung erbaut wurde. Das Rathaus von 1226 sucht seinesgleichen in Deutschland – großartig die gotische Schaugiebelwand, die Renaissancelaube und die Prunktreppe.

Besondere Aufmerksamkeit verdienen überdies die kleinen Höfe im Gängeviertel, die beschaulichen Quartiere an der Trave, die mächtigen Speicher und nicht zuletzt auch das Haus der Schiffergesellschaft, in dem der Graf Luckner Stammgast war. Noch heute trifft man in dem uralten Gemäuer pensionierte Kapitäne beim Dämmerschoppen. Anziehungspunkt in der Nähe der St.-Marien-Kirche ist das Buddenbrookhaus in der Mengstraße 4. Darin hat Thomas Mann seine Kindheit verlebt. Es ist Schauplatz seines weltberühmten Romans „Die Buddenbrooks", für den der Dichter im Jahre 1929 den Nobelpreis erhielt.

stein. The "queen" of this region is undoubtedly the city of Lübeck, once the capital of the Hanseatic League, the old part of which is one of the most impressive medieval monuments surviving in the northern half of the Federal Republic of Germany.

The town's emblem is the great twin-towered fortified gate called Holstentor, built in 1478. The town hall of 1226, with its Gothic gabled front, Renaissance arcading and great staircase, is superb. Particularly attractive, too, are the small courtyards in the "Gänge" quarter, the picturesque area along the Trave, the huge granaries, and the Seamen's Guild House, now a restaurant where Graf Luckner (of First World War fame) was a regular customer. Pensioned captains still like to gather within these ancient walls for an evening drink. Another great attraction is the Buddenbrook House, Nr. 4 Mengstrasse. Thomas Mann spent his childhood there, and it is the setting for his novel "Buddenbrooks", depicting the decline of a Lübeck patrician family. He was awarded the Nobel Prize for it in 1929.

tein) parsemée de grands lacs. Mais la perle de cette région est incontestablement Lubeck, jadis reine de la Hanse germanique et dont la vieille ville fait partie des monuments médiévaux les plus importants de la moitié nord de la République fédérale d'Allemagne.

L'emblème de la ville est le Holstentor, une porte fortifiée datant de 1478. L'hôtel de ville de 1226 est splendide avec sa façade gothique surmontée de tourelles, sa loggia Renaissance et son escalier richement décoré.

A voir également les petites cours dans le quartier du Gänge, les coins pittoresques au bord de la Trave, les imposants greniers ainsi que la maison de la corporation des armateurs à l'intérieur de laquelle se trouve une brasserie-restaurant dont le comte Luckner était un habitué. Aujourd'hui encore, on rencontre dans ses vieux murs des capitaines en retraite qui se retrouvent le soir pour boire une chope. Près de l'église Ste-Marie, au N° 4 de la Mengstrasse, se trouve la maison Buddenbrook où Thomas Mann a passé son enfance. Il y a situé son célèbre roman «Les Buddenbrook» pour lequel il a obtenu le prix Nobel en 1929.

Die Ostseeküste

Von Travemünde, am südlichsten Punkt der schleswig-holsteinischen Ostseeküste und unmittelbar an der Grenze zur DDR gelegen, bis nach Flensburg im äußersten Norden, unweit der dänischen Grenze, erstreckt sich eine der frequentiertesten Ferienregionen der Bundesrepublik Deutschland.
Überall an der Küste finden sich gepflegte Kur- und Badeorte: Timmendorfer Strand, Grömitz, Scharbeutz, Damp 2000, um nur einige zu nennen. Kilometerlang sind die Strände, an denen sich Sandburgen und Strandkörbe aneinanderreihen. Und draußen auf der Ostsee tummeln sich Windsurfer auf ihren Brettern, Segler mit ihren Booten, fahren Freizeitkapitäne in ihren schnittigen Motorjachten spazieren. Hauptstadt des Landes ist Kiel, gelegen an einer 17 Kilometer langen Förde, eines der großen deutschen Wassersportzentren. Im Jahre 1972 fanden hier die olympischen Segelwettbewerbe statt.
Sehenswürdigkeiten in Kiel sind das Marine-Ehrenmal in Laboe und das schleswig-holsteinische Freilichtmuseum in Molfsee, in dem alte Bauernhäuser und Dokumente der Kulturgeschichte gezeigt werden. Kiel liegt am östlichen Ende des Nord-Ostsee-Kanals, der von der Nordsee in die Ostsee führt und die

The Baltic Coast

One of West Germany's most popular holiday regions is the Baltic coast. It extends from Travemünde, the most southern point of the Schleswig-Holstein Baltic coastline, right up to Flensburg in the far north, on the border to Denmark. The whole of this coastline is dotted with elegant bathing resorts such as Timmendorfer Strand, Grömitz, Scharbeutz, and Damp 2000, to mention only a few. The beaches, lined with sand castles and the traditional wickerwork beach chairs, extend for miles. And out at sea, wind surfers, yachtsmen, and motor-boat enthusiasts find ideal conditions for their sports.
The capital of Schleswig-Holstein is Kiel, situated on a 10-mile-long fjord, and one of the main centres of water sports in Germany. The Olympic sailing events took place there in 1972.
Sights worth seeing in Kiel are the Naval Memorial at Laboe, and the Schleswig-Holstein Open Air Museum at Molfsee, where a collection of old farmhouses and implements provides a survey of the region's rural crafts and culture. Kiel, which was the most important German naval base during the First World War, is situated at the eastern end of the canal linking the North Sea with the Baltic – the busiest ar-

La côte de la mer Baltique

Une des régions de villégiature les plus fréquentées d'Allemagne est celle qui s'étend de Travemünde, le point le plus au sud de la côte baltique du Schleswig-Holstein et à proximité de la frontière avec la RDA, jusqu'à Flensburg tout au nord, à la frontière du Danemark. Sur toute la côte, on trouve d'élégantes stations balnéaires comme Timmendorfer Strand, Grömitz, Scharbeutz, Damp 2000 pour n'en citer que quelques-unes. Les plages sur lesquelles s'alignent les châteaux de sable et les fauteuils de plage s'étirent sur des kilomètres. La mer, elle, est le paradis des surfeurs, des fervents de la voile et des canots à moteur.
La capitale du Schleswig-Holstein est Kiel, situé sur une baie de 17 kilomètres de long, un des grands centres de sports nautiques allemands. Les épreuves de yachting des Jeux Olympiques ont eu lieu à Kiel en 1972.
Il ne faut pas manquer de voir à Kiel le monument élevé à la mémoire des marins allemands tombés pendant les deux guerres mondiales et le musée de plein air à Molfsee qui rassemble d'anciennes maisons paysannes et du matériel qui retrace l'histoire de la civilisation de cette région.
Kiel est situé à l'extrémité est du

▷ **Halbinsel Beveroe**
Beveroe war einst eine Insel, dem Menschen gelang es jedoch in zäher, unermüdlicher Arbeit, die „Biberinsel" ans Festland zu binden. Die Mühle half dabei, denn sie diente zur Entwässerung der Niederungsgebiete. Heute haben auf der Halbinsel seltene Pflanzen und Vögel einen Zufluchtsort gefunden.

▷ **Beveroe Peninsula**
Beveroe was once an island, but by dint of hard work, "Beaver Island" was finally joined to the mainland. The mill served to pump the flats dry. Today the peninsula is a haven for rare plants and birds.

▷ **La presqu'île de Beveroe**
Beveroe était autrefois une île mais les hommes parvinrent, grâce à un travail acharné et inlassable, à rattacher «l'île des castors» au continent. Le moulin les aida dans cette tâche car il servit à drainer les basses terres. Aujourd'hui, des plantes et des oiseaux rares ont trouvé refuge dans la presqu'île.

◁ **Altenholz bei Kiel/Herrenhaus Knoop**

Bei Kiel liegt das elegante Herrenhaus Knoop, eine der Meisterleistungen des deutschen Klassizismus. Schon bald war es ein beliebtes Ziel der Wanderer aus der nahen Großstadt. Im Spätsommer 1805 schwärmte der Schriftsteller Johann Gottfried Seume: „Ein Morgenspaziergang durch Düsternbrook nach der Mündung des Kanals und an diesem hinauf bis Knoop ist ein Genuß, den zehn Seestädte nicht gewähren."

◁ **Altenholz near Kiel/Knoop House**

Knoop House is one of the finest products of German classicism. It has long been a popular excursion point. The writer J. G. Seume enthusiastically described such an excursion in the late summer of 1805: "A morning walk through Düsternbrook to the end of the canal, and then along the canal up to Knoop is a pleasure that ten other seaside towns cannot provide."

◁ **Altenholz près de Kiel/La gentilhommière de Knoop**

L'élégante gentilhommière de Knoop, une merveille de l'architecture néo-classique allemande, se trouve près de Kiel. Elle devint très vite un lieu d'excursion privilégié pour les citadins. A la fin de l'été 1805, l'écrivain Johann Gottfried Seume s'enthousiasmait: «Une promenade matinale à travers Düsternbrook en direction de l'embouchure du canal et de là jusqu'à Knoop est un régal que ne donnent pas dix villes maritimes.»

meistbefahrene künstliche Wasserstraße der Welt ist.

Fährt man von Kiel aus weiter nach Norden, erreicht man Schleswig, die alte Handelsstadt an der Schlei, deren Dom man unbedingt besuchen sollte – allein schon wegen des Bordesholmer Altars von 1521. Er wurde berühmt durch die rund 400 Figuren, die Szenen aus der Heilsgeschichte darstellen und von ungewöhnlicher Schönheit sind. Auf einer Insel liegt Schloß Gottorf, das größte in Schleswig-Holstein. Darin befindet sich heute ein Museum.

An der Mündung der Schlei liegt die einstige Insel Maasholm. Sie ist heute mit dem Festland verbunden, was aber an der Idylle des Fischerhafens und des Dorfes mit seinen reetgedeckten Häusern nichts geändert hat.

Nördlichste Stadt der Bundesrepublik ist Flensburg, von wo die Deutschen ihren Rum beziehen. Die Stadt hat viel von ihren mittelalterlichen Bauten bewahrt, darunter die Kaufmannshöfe.

Das nahe Schloß Glücksburg, ein in einem tiefblauen See liegendes Wasserschloß, wird heute wegen seiner kostbaren kunst- und kulturhistorischen Schätze gerühmt. Erbaut wurde es im Jahre 1587 im Auftrag von Herzog Johann d. J. von Sonderburg.

tificial waterway in the world. Further north from Kiel is Schleswig, the old trading city on the Schlei, whose Cathedral is a must for any visitor – if only for the famous Bordesholm Altar of 1521. The altar is renowned for its 400 finely carved figures representing biblical scenes. Nearby, on an island, is Gottorf Palace, the largest in Schleswig-Holstein, which now houses a museum.

Maasholm, at the mouth of the Schlei, was formerly an island. It is now connected with the mainland, but this does nothing to detract from the charm of the old fishing harbour and the village with its thatched houses.

West Germany's most northerly town is Flensburg, centre of the German rum trade. It has retained many of its medieval buildings, including the characteristic merchants' houses. Not far away is Glücksburg Castle, built in 1587 in the deep blue waters of a lake for Duke John the Younger of Sonderburg, whose motto was "May God Give Us Happiness And Peace". The castle was used as a summer palace in the last century by the Danish King Frederick VII, who died there in 1863. It is renowned for its collection of paintings and cultural artefacts.

canal qui relie la mer du Nord à la Baltique, la voie navigable artificielle la plus fréquentée du monde. Plus au nord de Kiel se trouve Schleswig, la vieille ville marchande sur la Schlei dont il faut à tout prix visiter la cathédrale qui renferme le retable de Bordelsholm de 1521. D'une incomparable beauté, il compte environ 400 statues sculptées sur bois représentant des scènes de la Bible. A proximité, situé sur une île, le château de Gottorf, le plus grand du Schleswig-Holstein et qui abrite aujourd'hui un musée.

Maasholm, à l'embouchure de la Schlei, est une ancienne île. Reliée aujourd'hui au continent, elle n'a rien perdu du charme que lui confèrent un port de pêche et un village aux maisons couvertes de chaume. La ville la plus septentrionale de l'Allemagne fédérale est Flensburg, centre du commerce du rhum. La ville a gardé de nombreux édifices médiévaux dont des maisons de négociants typiques de la région. Non loin de là, le château de Glücksburg, un castel d'eau au milieu d'un lac d'un bleu intense, est célèbre pour ses trésors artistiques et historiques. Il fut construit en 1587 à la demande du duc Jean le Jeune de Sonderburg.

▷ **An der Kieler Förde**

„Jetzt liegt mir Kiel in schönem Lichte, auch des zwanglosen, vermischten Umgangs, der schönen Gegend und Nachbarschaft wegen.“ Johann Gottfried Herder, der Autor dieser Zeilen, dachte hierbei sicher auch an die Kieler Förde mit ihren ausgedehnten Sandstränden, „mit lebendigen Hecken durchflochten, das Meer nicht fern…“

▷ **Kiel Roadstead**

"I like Kiel also because of the easygoing manners at all social levels, its lovely surroundings, and the pleasant social contact with the neighbours." J. G. Herder, the author of these lines was surely also thinking of Kiel Roadstead, with its extensive sandy beaches "lined with hedges, and not far from the sea…"

▷ **Dans la baie de Kiel**

«A présent Kiel me plaît dans la belle lumière, à cause aussi des fréquentations sans façon et diverses, de la belle région et du voisinage.» Johann Gottfried Herder, l'auteur de ces lignes, songeait certainement ici également à la baie de Kiel avec ses longues plages de sable «entrelacées de buissons vivants, la mer pas très loin …»

Die deutsche Nordseeküste

Die Zeiten der Piraterie sind in der Erinnerung der Ostfriesen noch heute lebendig, und Gästen wird gern jener wuchtige Kirchturm in Marienhafe gezeigt, in dem der ebenso trinkfeste wie rauflustige Klaus Störtebeker Unterschlupf suchte, wenn er wieder einmal auf der Flucht vor den Hansekaufleuten aus Bremen und Hamburg war. Am Ende ging's ihm aber dann doch an den Kragen. Im Jahre 1401 wurde er auf dem Schindacker in Hamburg geköpft.

Jahrhundertelang waren die Ostfriesen ein freies Bauernvolk, das sich seine Häuptlinge selbst wählte. Wuchtige Backsteinburgen überall im Land geben Kunde von jenen Zeiten. Zwei der bedeutsamsten Burgen stehen in der Ostfriesengemeinde Dornum.

Ostfriesland ist das Land der Windmühlen, das Land auch der wehrhaften Kirchen und der idyllischen Kutterhäfen. Eines der besonders schönen Fischerdörfer ist Greetsiel, wo die „Zwillinge" stehen. Das sind zwei Windmühlen am Ortseingang. Unbedingt ansehen sollte man sich die alte Stadt Norden, die Häuptlingsstadt Esens mit dem Badeort Bensersiel, das Fischer- und Feriendorf Neuharlingersiel und Carolinensiel. Ebenso Hooksiel, einst der Hafenplatz von Jever, das – land-

The North Sea Coast

East Frisians can still recall the days of piracy, and visitors are usually shown the rugged church tower at Marienhafe where Klaus Störtebeker, locally famous for his capacity for fighting and drinking, took refuge when he was once again fleeing from the wrath of the merchants from Bremen and Hamburg. They got him in the end, however: he was beheaded in Hamburg in 1401.

For centuries the East Frisians were a free peasant people who elected their own chiefs. Powerful-looking brick-built castles scattered throughout the region are relics of those days. Two of the most impressive of these castles are in Dornum.

East Friesland is also a country of windmills, fortified churches – and of idyllic fishing villages, one of the prettiest of which is Greetsiel, where the "Twins" are to be seen – two windmills at the entrance to the village.

Visitors should certainly look at the old town of Norden, the old tribal capital, Esens, with the seaside resort Bensersiel, the fishing village and holiday resort Neuharlingersiel, and Carolinensiel. Then there is Hooksiel, once the port for Jever, which lies further inland and is an interesting old town.

La côte de la mer du Nord

En Frise orientale, on n'a pas oublié l'époque des pirates et les visiteurs sont invités à contempler l'imposante tour de l'église à Marienhafe où Klaus Störtebeker, un personnage aussi célèbre pour ses excès de boisson que pour son tempérament bagarreur, venait chercher refuge lorsqu'une fois de plus il avait à ses trousses les marchands de Brême et de Hambourg. Ceux-ci finirent toutefois par mettre la main sur lui et, en 1401, il fut décapité à Hambourg.

Pendant des siècles, les Frisons furent un peuple libre de paysans qui pouvait choisir lui-même ses chefs. D'imposants châteaux en brique disséminés dans le pays témoignent de cette période. Deux des plus importants se trouvent à Dornum.

La Frise orientale est le pays des moulins à vent, des églises fortifiées et des pittoresques ports de pêche dont un des plus beaux est Greetsiel où se trouvent les «jumeaux». Ce sont deux moulins à vent à l'entrée de la localité.

On doit absolument voir la vieille ville de Norden, l'ancienne résidence princière d'Esens avec la station balnéaire de Bensersiel, le village de pêcheurs et petite station balnéaire de Neuharlingersiel et Carolinensiel. De même que Hooksiel qui fut autrefois le port de Jever,

◁ **Hallig Hooge**
Ebbe und Flut, Wind und Wellen bestimmen den Lebensrhythmus der Halligbewohner. An schönen Sommertagen bieten die Inseln ein Bild des Friedens, liegen nach einem Wort Theodor Storms wie „Träume auf dem Meer". Ganz anders in der stürmischen Herbst- und Winterzeit, wenn der Regen unablässig auf die Eilande prasselt und die Fluten erbarmungslos steigen. Dann pocht der „blanke Hans", das Meer, unversehens an die Tür.

◁ **The Isle of Hooge**
The wind, waves, and tides govern the life-rhythm of the inhabitants of these little isles called "Halligen". On fine summer days they present a picture of peace. But this changes dramatically in the stormy periods during autumn and winter when the rain pours down incessantly and the tides rise unmercifully.

◁ **Hallig Hooge**
Les habitants des Halligen vivent au rythme de la marée, du vent et des vagues. Les beaux jours d'été, les îles offrent une image pacifique. Il en est tout autrement en automne et en hiver par temps orageux, lorsque la pluie tombe inlassablement sur l'île et que les flots grossissent sans pitié.

◁ **Sonnenuntergang auf der Insel Föhr**

Wattwanderungen bleiben vielen Menschen lange im Gedächtnis haften. Wegen der Naturschönheit, gewiß, aber da ist noch etwas anderes: „Der Mensch sieht sich auf einmal ins richtige Verhältnis gesetzt zu Himmel und Erde. Was ist er da? Ein Muschelabdruck, eins dieser Wassertröpfchen, die hier überall herumfliegen." (Horst Mönnich)

◁ **Sunset on the Island of Föhr**

Walks across the "Wattenmeer" (tidal marshes) are an unforgettable experience – partly because of the natural beauty of the landscape, certainly, but there is also something else: "Man suddenly sees himself placed in a proper relationship to heaven and earth. What does he amount to then? An impression of a shell in the sand, one of the tiny drops of water that are ever-present in the air here." (Horst Mönnich)

◁ **Coucher de soleil sur l'île de Föhr**

Pour beaucoup de gens, une promenade sur le Watt, la côte boueuse, est un événement qu'ils gardent longtemps en mémoire. A cause de la beauté de la nature, certes, mais aussi pour autre chose: «L'homme se voit tout à coup ramené à de justes proportions par rapport au ciel et à la terre. Qu'est-il là? Une empreinte de coquillage, une de ces gouttes d'eau qui volent ici alentour.» (Horst Mönnich)

einwärts – im Friesischen liegt. Es ist eine Stadt mit einem alten Ortsbild und einem beachtenswerten Schloß.

Der Küste vorgelagert liegen die sieben Ostfriesischen Inseln. Von Westen nach Osten sind es Borkum, Juist, Norderney, Baltrum, Langeoog, Spiekeroog und Wangerooge. Norderney war im vorigen Jahrhundert vorübergehend Sommerresidenz des Königs von Hannover. Ein sehr schönes altes Inseldorf mit einer Kirche von 1696 liegt auf Spiekeroog. Die in der Kirche befindlichen Altarbilder und Kanzelteile stammen von einem im Jahre 1588 gestrandeten Schiff der spanischen Armada, die in jenem Jahr von der englischen Flotte besiegt worden ist – es war der Beginn des Niedergangs der spanischen Weltmacht und des Aufstiegs von England zum mächtigsten Reich der Erde.

Kleine Kutterhäfen findet man auch im Lande Wursten an der Wesermündung zwischen Bremerhaven und Cuxhaven, und wer in diesem Land zwischen Weser und Elbe auf der Suche ist nach romantischen Winkeln, der findet sie in dem kleinen Ferienort Bederkesa mit seiner stattlichen Burg, in dem behaglichen Elbstädtchen Otterndorf und in der waldreichen Wingst.

The seven East Frisian Islands lie just off the coast: Borkum, Juist, Norderney, Baltrum, Langeoog, Spiekeroog, and Wangerooge. Norderney was temporarily used as a summer residence by the king of Hanover in the last century. On Spiekeroog there is a fine old village with a church dating from 1696. The altar paintings and parts of the pulpit came from a stranded ship from the Spanish armada of 1588 which was defeated in that year by the English fleet, an event which marked the beginning of the decline of Spanish power and of the rise of England.

There are pleasant small fishing ports in the district called Wursten, which lies along the Weser estuary between Bremerhaven and Cuxhaven, and there are picturesque spots such as the small resort Bederkesa, with its formidable castle, the appealing little town of Otterndorf on the Elbe, and the wooded area of Wingst.

But the North Sea coastline of Schleswig-Holstein, too, is dotted with pretty harbours. Inland one is reminded of Holland. In fact, the little town of Friedrichstadt was actually founded by Duke Frederick III of Gottorf in 1621 to provide a home for refugee Dutch Protestants. Craftsmen from south and

une ancienne cité intéressante avec un château remarquable.

Devant la côte se trouvent les sept îles de la Frise orientale. D'ouest en est: Borkum, Juist, Norderney, Baltrum, Langeoog, Spiekeroog et Wangerooge. Au siècle dernier, Norderney fut provisoirement la résidence d'été du roi de Hanovre. Spiekeroog porte un charmant vieux village avec une église de 1696. La pietà et des parties de la chaire qui se trouvent dans l'église proviennent d'un navire échoué en 1588 appartenant à l'Armada espagnole qui avait été vaincue cette année-là par la flotte anglaise – ce fut le début du déclin de la puissance espagnole et de l'expansion de l'Angleterre.

On trouve également des petits ports de pêche dans le pays de Wursten, à l'embouchure de la Weser, entre Bremerhaven et Cuxhaven. La petite station climatique de Bederkesa, dotée d'un imposant château, la pittoresque petite ville d'Otterndorf sur l'Elbe et la région boisée de Wingst sont des endroits particulièrement charmants.

La côte de la mer du Nord du Schleswig-Holstein est également parsemée de ports et l'intérieur du pays rappelle la Hollande. La ville de Friedrichstadt a d'ailleurs été fondée par le duc Frédéric III

◁ **Windmühlen in Greetsiel**
Wind und Sturm sind gefürchtete Naturgewalten in Norddeutschland. Die gewitzten Menschen dort haben allerdings schon früh versucht, diese ungeheuren Kräfte zu bändigen und für ihre Zwecke zu nutzen. Wenn das, wie hier in Greetsiel, auf so malerische Weise geschieht, wird gegen diese Art der Energiegewinnung wohl niemand etwas einzuwenden haben.

◁ **Windmills in Greetsiel**
Wind and storms are always potential enemies to people in the north of Germany, but intelligent use can nevertheless be made of them, converting their uncontrolled force into controlled power. Surely no one can object, when this is achieved with the aid of such picturesque buildings.

◁ **Moulins à vent à Greetsiel**
Le vent et la tempête sont des éléments de la nature fort redoutés en Allemagne du Nord. Mais les hommes avisés de cette région ont très tôt cherché à dompter ces forces incroyables pour les utiliser à leurs fins. Et lorsque cela se fait d'une manière aussi pittoresque, il n'y aura certainement personne pour s'élever contre cette sorte d'exploitation de l'énergie.

Mit Häfen gesäumt ist aber auch die schleswig-holsteinische Nordseeküste, an der man – ein wenig landeinwärts – an Holland erinnert wird. Da ist der Ort Friedrichstadt, der 1621 von Herzog Friedrich III. von Gottorf gegründet wurde – und zwar eigens für die Ansiedlung heimatvertriebener niederländischer Remonstranten. Außerdem wurden süd- und mitteldeutsche Handwerker nach Friedrichstadt geholt, das mit seinen baumumstandenen Grachten und Backsteingiebeln wie ein nordholländisches Landstädtchen wirkt. Friedrichstadt war die erste Stadt Deutschlands, in der Menschen uneingeschränkte religiöse Toleranz geboten wurde. Während des Dreißigjährigen Krieges, als sich Angehörige der beiden großen christlichen Religionsgemeinschaften auf deutschem Boden ein schreckliches Gemetzel lieferten, gab es in Friedrichstadt zeitweilig sieben Glaubensgemeinschaften nebeneinander.

Bunt ist die Inselwelt im Norden Deutschlands. Ganz oben liegt Sylt, die wohl bekannteste Insel, mit dem städtisch-mondänen Westerland, dem dörflichen Keitum, mit den mächtigen Dünen im Norden und mit der Steilküste im Westen, von der die wilden Stürme Jahr für Jahr gewaltige Stücke losreißen, so daß

central Germany were also brought to Friedrichstadt which, with its tree-lined canals, and brick-built gables, could easily be taken for a country town somewhere in north Holland. Friedrichstadt was the first town in Germany to grant complete religious freedom. During the Thirty Years' War, when the two main religious groups were fighting a bloody war on German territory, there were at times as many as seven different sects living side by side in Friedrichstadt.

The North Frisian Islands, of the west coast of Schleswig-Holstein, are very varied in character. The most northerly, and best-known is Sylt, with fashionable Westerland, the typical Friesland village of Keitum, the immense dunes in the north, and the cliffs in the west. Every year huge chunks of the cliffs are torn away by storms, so that there is considerable local concern about the future of the island. Further south lies Amrum, a pleasant island with particularly fine dunes. Föhr, the second largest island, provides good bathing and walks. And we must not forget the Halligen, fenland islands sometimes so tiny that they can accomodate only one house.

But surely the most romantic of the islands is Heligoland whose red

de Gottorf pour accueillir les réfugiés protestants hollandais. Des artisans d'Allemagne du Sud et d'Allemagne centrale furent appelés à Friedrichstadt qui, avec ses canaux bordés d'arbres et ses pignons en brique, ressemble à une petite ville du Nord de la Hollande. Friedrichstadt fut la première ville d'Allemagne à garantir la liberté totale de religion. Pendant la guerre de trente ans, lorsque les deux grandes communautés religieuses se livrèrent un combat sans merci, il y eut par moments sept communautés religieuses à Friedrichstadt.

Les îles de la Frise septentrionale sont très variées. Tout en haut se trouve Sylt, certainement l'île la plus connue, avec son centre mondain, Westerland, le village frison typique de Keitum, avec les immenses dunes au nord et les falaises à l'ouest auxquelles les violentes tempêtes arrachent des blocs de roche de sorte que l'avenir de l'île est un sujet de préoccupation. Au sud est située Amrum, une île agréable avec un très beau paysage de dunes. Il ne faut pas oublier non plus l'île de Föhr et les Halligen, de minuscules îles qui s'égrènent dans la mer et qui ne portent que quelques maisons blotties l'une contre l'autre.

Mais la plus romantique des îles est

◁ **Greetsiel/Kleiner Hafen**
Die Friesen sind stets wackere Seefahrer gewesen. Alle naselang finden sich daher an der Nordseeküste malerische Kutterhäfen. Hier ankern am Tage die Boote, mit denen zu nachtschlafender Zeit der Fisch- und Krabbenfang betrieben wird.

◁ **Greetsiel/Small Harbour**
The Frisians have always been intrepid sailors, and the whole of the North Sea coastline is dotted with picturesque fishing harbours. Here the boats lie during the day, venturing forth mainly at night in quest of fish and prawns.

◁ **Greetsiel/Le petit port**
Les Frisons ont toujours été de vaillants marins. Aussi la côte de la mer du Nord abonde-t-elle en pittoresques petits ports de pêche. Les bateaux qui partiront la nuit pour la pêche aux poissons et aux crevettes sont ancrés ici le jour.

die Sorgen um die Zukunft der Insel kein Ende nehmen.

Südlich liegt Amrum, eine gemütliche Insel mit einer besonders schönen Dünenlandschaft. Und nicht vergessen sollte man die Insel Föhr und vor allem die Halligen, winzige Inseln in der See, auf denen nur wenige Häuser eng beieinanderstehen.

Am romantischsten ist's aber sicher auf Helgoland. Der rote Felsen liegt ganz weit draußen in der Deutschen Bucht. Mit seiner Badedüne, die nur mit dem Schiff zu erreichen ist, gehört er zu den bevorzugten Kur- und Badeorten in Norddeutschland. Zu einem unvergeßlichen Erlebnis wird ein Aufenthalt auf der Insel an stürmischen Tagen, wenn sich haushohe Wellen an den Uferbefestigungen brechen. Eine Fahrt nach Helgoland – von Cuxhaven, Bremerhaven oder Wilhelmshaven aus – gehört einfach dazu, wenn man schon einmal an der Küste ist.

sandstone cliffs rise abruptly out of the sea far out in the German Bay. With its bathing beach, which is accessible only by boat, it is one of Germany's most popular health and bathing resorts. Stormy days on the island, when waves dash house-high against the breakwaters, are an unforgettable experience. No visit to the coast would be complete without a boat trip to Heligoland, for which services are provided from Cuxhaven, Bremerhaven, and Wilhelmshaven.

certainement Heligoland constituée d'un immense bloc de roche rouge qui se dresse dans la mer très loin dans la baie Allemande. Avec sa dune dotée de belles plages de sable, accessible uniquement par bateau, c'est une des stations balnéaires les plus populaires d'Allemagne. Les jours de tempête dans l'île, lorsque les vagues aussi hautes qu'une maison viennent se briser contre la digue, sont des moments inoubliables. Une visite de la côte doit absolument inclure dans son programme Heligoland où l'on peut se rendre en bateau à partir de Cuxhaven, Bremerhaven ou Wilhelmshaven.

◁ **Nikolaikirche in Boldixum/ Insel Föhr**

Aus dem Gottesacker reckt sich die gewaltige, spätromanisch-frühgotische Backsteinkirche.

◁ **St. Nicholas' Church in Boldixum/The Island of Föhr**

The great late-Romanesque/early-Gothic brick-built church rises from the churchyard as if determined to defy the elements for many more centuries.

◁ **Eglise St-Nicolas à Boldixum/Ile de Föhr**

L'imposante église en brique, qui date de la fin de l'art roman et du début de l'art gothique, se dresse au milieu du cimetière.

▽ **Vareler Hafen**
Varel liegt dicht am Jadebusen, einem Küstenstreifen, an dem die Welt noch weitgehend intakt ist. Ein ausgedehntes Vogelschutzgebiet gewährt zahllosen Seevögeln einen natürlichen Lebensraum.

▷ **Winterabend am Wattenmeer**
Gefrorene Nacht an Meer und Küste. Der Fischfang ruht.

▽ **Varel Harbour**
Varel is close to a strip of coastline called "Jade Bay", where the world and nature are still intact. An extensive bird sanctuary provides a natural environment for countless seabirds.

▷ **Winter evening on the coast**
The tidal marshes are frozen. Fishing is over for a while.

▽ **Le port de Varel**
Varel est situé dans la baie de Jade, une bande côtière où la nature est encore intacte en grande partie. Une vaste zone de protection constitue pour d'innombrables oiseaux aquatiques un véritable biotope.

▷ **Soir d'hiver sur la mer**
Nuit glacée sur la mer et la côte. Les bateaux de pêche sont au repos.

Berlin

Nirgendwo in Deutschland wird den Deutschen die nach dem verlorenen Krieg im Jahre 1945 vollzogene Teilung ihres Landes so schmerzlich bewußt wie in Berlin. Nirgendwo wird es aber auch so deutlich, daß es eine unnatürliche Trennung ist.

Berlin, die einstige Hauptstadt der preußischen Könige und für 74 Jahre pulsierende Metropole des Deutschen Reiches, ist nur noch ein Torso. Eine unüberwindliche Mauer trennt den östlichen vom westlichen Teil der Stadt, die in den ersten beiden Jahrzehnten unseres Jahrhunderts zu den bedeutenden kulturellen Zentren der Welt gehörte. Ost-Berlin, wo das historische Herz der Stadt schlägt, ist heute die Hauptstadt der DDR. West-Berlin führt nach dem Willen der Siegermächte von 1945 ein politisches Eigenleben. Es ist aber wirtschaftlich und – mit Einschränkungen – auch politisch mit der Bundesrepublik Deutschland verbunden.

„Berlin ist eine Reise wert" lautet der Slogan, mit dem West-Berlin um Besucher wirbt. Und in der Tat haben die Berliner ihren Gästen eine Menge zu bieten: Denn nach wie vor gehört zum Beispiel die Kulturszene der Stadt zu den besten im deutschsprachigen Raum. In Berlin wird gutes Theater gespielt:

Berlin

For Germans, nothing so poignantly demonstrates the division of their country as Berlin. And nowhere else is this division – imposed after Germany lost the war in 1945 – so obviously unnatural.

Berlin, one-time capital of the Prussian kings, and for 74 years the pulsating metropolis of the German Empire, has been reduced to a torso. An insurmountable wall splits a town that was one of the world's most important cultural centres in the first two decades of this century into two sections, east and west.

East Berlin, where the historical heart of the town beats, is now capital of the German Democratic Republic. West Berlin pursues a political life of its own – as decreed by the victorious allies in 1945. But it is economically and – with certain limitations – also politically, connected with the Federal Republic of Germany.

"Berlin is worth a visit" is the slogan used by West Berlin to attract tourists. And Berlin really has a lot to offer its guests – for the cultural life here is still as vigorous as anywhere in the German-speaking regions. Theatre life, in particular – in the Theater des Westens, Schiller-Theater, Schlosspark-Theater, and in the Schaubühne – is extremely lively.

Berlin

Nulle part ailleurs la division de l'Allemagne n'est ressentie aussi douloureusement par les Allemands qu'à Berlin. Et nulle part ailleurs cette division, établie en 1945 après la défaite de l'Allemagne, ne paraît aussi artificielle.

Berlin, qui fut autrefois la capitale des rois de Prusse et pendant 74 ans la métropole animée de l'empire allemand, est à présent tronquée. Un mur infranchissable sépare la partie orientale de la partie occidentale de la ville qui, dans les deux premières décennies de ce siècle, fut un des grands centres culturels du monde. Berlin-Est, où bat le cœur historique de la ville, est aujourd'hui la capitale de la RDA. Berlin-Ouest mène une vie politique à part, conformément à la volonté des puissances alliées de 1945. Mais elle est liée économiquement – et avec certaines restrictions politiquement – à la République fédérale d'Allemagne.

«Berlin vaut un voyage» dit le slogan par lequel Berlin-Ouest veut attirer les visiteurs. Et il est vrai que les Berlinois ont beaucop à offrir à leurs hôtes. Ainsi, par exemple, la vie culturelle reste parmi les plus animées de l'espace germanophone. A Berlin, on joue du bon théâtre que ce soit au Theater des Westens, au Schiller-Theater, au Schlosspark-Theater et à la Schaubühne.

◁ **Berlin bei Nacht**
West-Berlin ist nach den schlimmen Bombennächten des Zweiten Weltkrieges wieder zur glitzernden Weltstadt geworden. Die Ruine der Kaiser-Wilhelm-Gedächtniskirche, in den sechziger Jahren ergänzt durch einen zweiteiligen Neubau, wurde der Mittelpunkt der neuen City. Tag und Nacht brodelt hier der Verkehr, herangeführt von drei großen Boulevards, darunter der Kurfürstendamm (links).

◁ **Berlin at night**
West Berlin – a glittering metropolis risen again from the dust and ashes of the bombing raids of the last world war. The ruins of Emperor William's Memorial Church, complemented by two new structures added in the 60's, became the focal point of the new city. Here, traffic along the three great boulevards (left: Kurfürstendamm) never ceases.

◁ **Berlin la nuit**
Après les terribles bombardements de la deuxième guerre mondiale, Berlin-Ouest est redevenu une métropole étincelante. Les ruines de l'église du Souvenir sont devenues le centre de la nouvelle ville. Jour et nuit, trois grands boulevards dont le Kurfürstendamm (à gauche) y déversent leur flot de voitures.

im Theater des Westens, im Schiller- und im Schloßpark-Theater, in der Schau- und in der Volksbühne. Treffpunkt in West-Berlin ist der Kurfürstendamm, wo die Ruine der Gedächtniskirche steht, die nach 1945 zum Wahrzeichen West-Berlins geworden ist. Der Kurfürstendamm, der im 16. Jahrhundert als Dammweg zum kurfürstlichen Jagdschloß im Grunewald angelegt wurde, entwickelte sich erst vor hundert Jahren zu einer Prachtstraße. Heute ist der fast vier Kilometer lange und 53 Meter breite Kurfürstendamm eine der berühmtesten Großstadtstraßen der Welt. Allgemein wird er nur als Ku'damm bezeichnet.

Zu den schönsten Plätzen in Berlin gehören die in den Kaffeehäusern am Kurfürstendamm, wo man sieht und gesehen wird. Zu jedem Berlinbesuch gehört ein Ku'damm-Bummel. Wer dabei ein Stück über die Gedächtniskirche hinausgeht in Richtung Wittenbergplatz, der erreicht eines der großen Kaufhäuser der Welt, das Kaufhaus des Westens (KaDeWe), dessen Lebensmittelabteilung vor allem Aufmerksamkeit verdient.

Nur ein paar Minuten zu Fuß sind es von dort zum Berliner Zoo, dessen Bestand mehr als 1000 Säugetiere in 220 Arten und nahezu 3000

The focal point of Berlin's social life is the street called Kurfürstendamm, where the ruined tower of the Memorial Church stands, kept as a reminder of the horrors of war. Since 1945 it has become the emblem of West Berlin. The Kurfürstendamm, which was constructed in the 16th century to provide access to the Electoral Hunting Lodge in Grunewald, only developed into an elegant avenue a century ago. Now Kurfürstendamm, popularly called Ku-Damm, nearly two and a half miles long and well over 50 yards wide, is one of the world's most famous city thoroughfares. The cafés along Ku-Damm, where guests can see and be seen, are one of the city's most charming features. A stroll down Ku-Damm is clearly a must during any visit to Berlin. By extending the walk a little past the Memorial Church in the direction of Wittenbergplatz, one comes to one of the world's great department stores: the Kaufhaus des Westens (KaDeWe), whose food department is particularly mouth-watering. From there it is only a few minutes on foot to the Berlin Zoo. With more than 1,000 mammals of 220 different species, and nearly 3,000 birds of over 700 species, it rates as the world's second largest zoo after San Diego in the United States. The

Le lieu de rendez-vous à Berlin-Ouest est le Kurfürstendamm où se trouvent les ruines de l'église du Souvenir qui, après 1945, est devenue le symbole de la ville. Il y a cent ans seulement que le Kurfürstendamm, qui fut construit au XVIᵉ siècle pour permettre l'accès au pavillon de chasse électoral à Grunewald, s'est transformé en une artère élégante. Aujourd'hui, le Ku-Damm, comme on l'appelle familièrement, est avec ses quelque quatre kilomètres de longueur et ses 53 mètres de largeur une des plus célèbres rues du monde.

Les cafés du Kurfürstendamm où l'on va pour voir et être vu font partie des plus beaux endroits de Berlin. Une visite de Berlin passe obligatoirement par une promenade sur le Ku-Damm. En prolongeant un peu celle-ci au-delà de l'église du Souvenir en direction de la Wittenbergplatz, on arrive à un des grands magasins du monde, le Kaufhaus des Westens (KaDeWe) dont le rayon alimentation est particulièrement impressionnant.

De là il n'y a que quelques minutes à pied jusqu'au zoo de Berlin qui comprend plus de 1 000 mammifères de 220 espèces et près de 3 000 oiseaux de plus de 700 espèces. C'est après celui de San Diego aux Etats-Unis le deuxième jardin zoolo-

▷ **Berlin/Schloß Charlottenburg**
Auf dem weiten Ehrenhof hat das Reiterstandbild des Großen Kurfürsten eine standesgemäße Bleibe gefunden – nachdem es schon einmal ziemlich tief gesunken war: Von der Langen Brücke in Ost-Berlin, wo es ursprünglich aufgestellt war, sollte das Standbild in den Westen transportiert werden. Man verfrachtete es auf einen Kahn, unterschätzte jedoch sein Gewicht, so daß Boot und Großer Kurfürst in die Tiefen des Tegeler Sees sanken und dort ein Jahr verharren mußten, bis die Bergung gelang.

▷ **Berlin/Charlottenburg Palace**
The equestrian statue of the Great Elector Frederick William in the main courtyard of Charlottenburg Palace.

▷ **Berlin/Château de Charlottenburg**
Dans la vaste cour d'honneur, la statue équestre du Grand Electeur a maintenant trouvé une place digne de son rang.

Vögel in über 700 Arten umfaßt. Er gilt nach dem von San Diego in den USA als zweitgrößter Zoologischer Garten der Welt. Sehenswert ist vor allem das Affenhaus, in dem etwa 150 Affen leben, darunter mehrere Gorillas, Orang-Utans und Schimpansen. Neu ist die asiatische Abteilung an der Budapester Straße.

Die Geschichte der königlichen Residenz Berlin lebt im Westen der Stadt fort in einigen Schlössern, von denen vor allem das Schloß Charlottenburg zu nennen ist. Es gilt als das schönste Beispiel des Barock in Berlin. Erbaut wurde es im Jahre 1695 für die Kurfürstin Sophie Charlotte. In dem Schloß werden heute eine Bildersammlung aus den Schlössern Friedrichs des Großen gezeigt sowie eine Sammlung Berliner Porzellans aus dem 18. und 19. Jahrhundert.

Sehr romantisch ist das im Jahre 1795 nach dem Vorbild einer Kastellruine erbaute Schloß auf der Pfaueninsel. Die später so unglückliche Preußenkönigin Luise residierte dort während der Sommermonate. Heute dient das Schloß als Museum. Die Pfaueninsel mit ihrem reichen Baumbestand, darunter jahrhundertealte Eichen, und mit ihrer ungewöhnlichen Vogelwelt steht unter Naturschutz.

Monkey House is particularly interesting – with over 150 "inmates" including gorillas, orang-utans, and chimpanzees. There is a new Asian department on Budapester Strasse. The history of the royal house in Berlin lives on in the western part of the city in a few palaces, of which Charlottenburg Palace is the most important. It is regarded as the finest example of baroque architecture in Berlin, and was built in 1695 for the Electress Sophie Charlotte. The palace now houses a collection of paintings from Frederick the Great's palaces and a collection of Berlin porcelain of the 18th and 19th centuries.

The castle on Peacock Island, built in 1795 to resemble a ruin, makes a very romantic impression. The unhappy Prussian Queen, Luise, used to spend the summer months there. Today it is a museum. Peacock Island, with its fine trees – which include centuries-old oaks – and unusual birdlife, is a nature conservancy area.

The history of the city, from its modest beginnings in the 13th century when it still consisted of two separate villages – Kölln and Berlin – to modern times, is graphically displayed in the Berlin-Museum.

gique du monde. Le pavillon des singes est particulièrement intéressant. Il renferme 150 singes dont plusieurs gorilles, des orangs-outans et des chimpanzés. Il existe une nouvelle section asiatique sur la Budapester Strasse.

L'histoire de Berlin résidence royale se perpétue dans l'Ouest de la ville dans certains châteaux parmi lesquels il faut surtout citer le château de Charlottenburg, le plus bel édifice baroque à Berlin. Il fut construit en 1695 pour la princesse électrice Sophie-Charlotte. Il renferme aujourd'hui une collection de peintures de Frédéric le Grand ainsi qu'une collection de porcelaine de Berlin des XVIIIe et XIXe siècles. Le château de la Pfaueninsel (île aux Paons), édifié en 1795 d'après le goût de l'époque (ruines d'un castel) est très romantique. La reine Louise de Prusse, qui devait être si malheureuse par la suite, y résidait pendant l'été. L'île aux Paons avec ses beaux arbres, dont des chênes séculaires, et ses merveilleux oiseaux est une zone de protection naturelle.

L'histoire de la ville, de ses modestes origines au XIIIe siècle où elle est constituée de deux bourgades distinctes – Berlin et Cölln – jusqu'à son statut de grande capitale, est très bien représentée au Berlin-Museum.

◁ **Berlin/Charlottenburger Schloßgarten**
Der Schloßpark war zunächst nach französischem Vorbild angelegt worden, doch schon bald macht der preußische Gartenbaukünstler Lenné daraus einen englischen Landschaftspark. Zahlreiche kleinere Bauten bereichern den Schloßgarten, unter anderem das phantasievolle Teehäuschen.

◁ **Berlin/In Charlottenburg Palace Gardens**
The park was originally laid out in the French style, but soon afterwards the Prussian landscape gardener Lenné converted it to the English style. The park is enlivened by numerous small buildings, including this imaginative tea pavilion.

◁ **Berlin/Le jardin du château de Charlottenburg**
Le parc du château avait été tout d'abord aménagé à la française mais l'architecte paysagiste prussien Lenné en fit bientôt un jardin à l'anglaise. D'innombrables petits édifices embellissent le jardin du château et notamment le petit pavillon de thé plein de fantaisie.

255

Bildnachweis